françaises

Petit Manuel de littérature québécoise

Les anciens numéros de la revue sont disponibles sous forme de microfiches chez : Johnson Associates, P.O. Box 1017, Greenwich, CONN. 06830 U.S.A.

I.S.B.N. 0 8405 0378 4 I.S.S.N. 0014 2085

Dépôt légal, 1er trimestre 1978 • Bibliothèque nationale du Québec

13/3-4

OCTOBRE 1977

Collaborateurs

Michèle ARCHAMBAULT, Bibliothèque des sciences humaines, Université de Montréal.

Nicole BROSSARD, revue *la Nouvelle Barre du jour.*

Gilles DORION, Faculté des lettres, Université Laval.

Jean DU BERGER, Faculté des lettres, Université Laval.

Normand LEROUX, Département d'études françaises, Université de Montréal.

Laurent MAILHOT, Département d'études françaises, Université de Montréal.

Clément MOISAN, Faculté des lettres, Université Laval.

François RICARD, Département de français, Université McGill.

Jack WARWICK, French Department, York University.

les instruments de travail

MICHÈLE ARCHAMBAULT

Il n'y a pas si longtemps — une quinzaine d'années à peine — les instruments de travail, sinon inexistants, étaient peu nombreux, rarement consacrés à la littérature, et généralement insuffisants pour le Québec. Ceci n'est pas étonnant si l'on considère que, jusqu'au début des années soixante, la bibliographie générale courante était assumée par Ottawa ou Toronto : *Canadiana* pour la production courante des publications canadiennes; *Canadian Periodical Index* pour le dépouillement des revues; la section « Letters in Canada » de *University of Toronto Quarterly* [1] pour la recension des ouvrages parus pendant l'année.

Dans le domaine de la bibliographie rétrospective, quelques efforts avaient été faits au Québec, notamment par

1. *University of Toronto Quarterly, a Canadian Journal of the Humanities,* Toronto, University of Toronto Press, 1931-... Trimestriel.

Gagnon et Dionne au début du siècle et, pour la bibliographie spécialisée, par la Société des écrivains canadiens et les Presses de l'Université Laval, qui avaient publié, en 1955, une *Bibliographie du roman canadien-français* par Antonio Drolet.

En publiant *Livres et auteurs canadiens,* devenu par la suite *Livres et auteurs québécois,* Adrien Thério faisait œuvre de pionnier, en présentant une revue critique de la production littéraire de l'année. Ce n'est toutefois qu'en 1966, avec la parution des *Cahiers bibliographiques des lettres québécoises,* dirigés par Réginald Hamel, et de l'*Index analytique* (remplacé par *Périodex*) que le Québec se dotait de deux index de revues et journaux permettant de compléter *Canadian Periodical Index.* Enfin en 1969, la Bibliothèque nationale du Québec publiait l'équivalent québécois de *Canadiana,* la *Bibliographie du Québec.*

Depuis environ cinq ans, on assiste à une prolifération des instruments de travail, tant dans le domaine général que spécialisé. La Centrale des bibliothèques, les universités et collèges, et particulièrement la Bibliothèque nationale du Québec y contribuent largement. Au sujet de l'apport de la Bibliothèque nationale du Québec, Jean-Pierre Chalifoux s'exprime en ces termes : « La progression la plus marquante de la bibliographie québécoise s'est accomplie au cours des toutes récentes années, grâce à l'intervention de la Bibliothèque nationale du Québec. L'avènement de la *Bibliographie du Québec,* la mise en chantier de la bibliographie rétrospective, la publication de *Radar,* constituent un enracinement définitif de la bibliographie générale et facilitent d'autant la production de bibliographies spécialisées [2]. »

En littérature québécoise, les instruments de travail ont aussi connu un essor remarquable, grâce surtout au travail acharné de quelques spécialistes. On pense, entre autres, à la

2. Jean-Pierre Chalifoux, « La Bibliothèque nationale du Québec et ses responsabilités bibliographiques », *Bulletin de la Bibliothèque nationale du Québec,* vol. 8, nº 2, juin 1974, p. 5.

bibliographie du théâtre, pour laquelle John Hare et Édouard Rinfret viennent de publier deux répertoires importants. On pense aussi au *Dictionnaire pratique des auteurs québécois,* de Réginald Hamel, John Hare et Paul Wyczynski.

Bien sûr tout n'est pas encore parfait : alors que certains répertoires font partiellement double emploi (*Périodex* et *Radar,* par exemple), certaines lacunes restent encore à combler. Le domaine de l'essai québécois nécessiterait une bibliographie complète. Un index qui dépouillerait les anthologies et études critiques parues au Québec trouverait sa place parmi les instruments de travail, de même qu'un dictionnaire des personnages littéraires. Et ce ne sont que quelques exemples...

Le présent article vise à analyser les principaux ouvrages de référence : bibliographies, dictionnaires et quelques manuels d'histoire littéraire. Les anthologies et études critiques n'ont pas été retenues pour deux raisons : d'une part, parce qu'étant très nombreuses, elles auraient dépassé le cadre de cet article; d'autre part, il est relativement facile de les retracer à l'aide des bibliographies. Par ailleurs, il ne faudrait pas chercher ici un relevé exhaustif de tous les répertoires; il s'agit plutôt d'une sélection effectuée parmi les instruments de travail les plus couramment utilisés.

I BIBLIOGRAPHIES

a. bibliographies générales

Depuis quelques années, la bibliothèque nationale du Québec travaille à rassembler une bibliographie rétrospective des ouvrages publiés au Québec et sur le Québec, pour les années 1821 à 1967. Lorsque terminée, cette bibliographie remplacera avantageusement les répertoires déjà existants, en fournissant un instrument de travail moderne et exhaustif. Pour l'instant, les principaux répertoires à consulter sont ceux de Dionne et Gagnon pour la période 1764-1910 (environ), celui de Tod et Cordingley pour 1900 à 1925, et le *Canadian Catalogue of Books* qui couvre les années 1921 à 1949.

DIONNE, Narcisse-Eutrope, *Inventaire chronologique*... Québec, 1905-1912, 4 vol. et un supplément.
Médecin, journaliste, historien et bibliographe, Dionne a entrepris, au début du siècle, de doter le Québec de la bibliographie qui lui faisait toujours défaut. C'est ainsi qu'il a répertorié tout d'abord les livres, brochures, journaux et revues publiés en langue française dans la province de Québec; ensuite les ouvrages publiés à l'étranger en langues diverses, relatifs à Québec et à la Nouvelle-France; puis les livres, brochures, journaux et revues publiés en langue anglaise dans la province de Québec. Enfin son quatrième volume est consacré aux cartes, plans, atlas, relatifs à la Nouvelle-France et à la province de Québec.

GAGNON, Philéas, *Essai de bibliographie canadienne*, Québec, Chez l'auteur, 1895-1913, 2 vol.
Œuvre d'un grand bibliophile et archiviste, ce répertoire est l'image de l'une des plus célèbres bibliothèques privées canadiennes. Le premier volume comporte quatre divisions : livres, journaux, revues et brochures; lettres, autographes et autres manuscrits; estampes; ex-libris. Le deuxième renferme les notices bibliographiques d'œuvres acquises par l'auteur après 1895; quelques titres paraissant au premier volume sont ici repris, enrichis de nouvelles notes bibliographiques et historiques. Le classement est établi suivant l'ordre alphabétique des auteurs et titres anonymes.

TOD, Dorothea D. et Audrey CORDINGLEY, *A check-list of Canadian Imprints, 1900-1925 / Catalogue d'ouvrages imprimés au Canada, 1900-1925*, Ottawa, Centre bibliographique canadien, 1950, 370 p.
Liste alphabétique des ouvrages publiés au Canada, en français et en anglais, entre 1900 et 1925. En règle générale, les brochures, publications officielles et périodiques ont été omis.

Canadian Catalogue of Books Published in Canada, about Canada, as well as those Written by Canadians, with Imprint 1921-1949, Toronto, Public Library, 1923-1950, 28 vol.
Chaque fascicule comprend une section pour les ouvrages publiés en langue française. Malheureusement, pour les premières années, les références sont souvent incomplètes.

Récemment, la bibliothèque nationale du Québec a regroupé en un volume les notices en langue française contenues dans ce catalogue, en y ajoutant un index des auteurs et des titres anonymes :

Bibliothèque nationale du Québec, *Notices en langue française du Canadian Catalogue of Books, 1921-1949*, avec index établi par Henri Bernard Boivin, Montréal, la Bibliothèque, 1975, 263, 201 p.

En 1951, la Bibliothèque nationale du Canada prend la relève, en publiant une bibliographie courante, dont l'objectif est de consigner, au fur et à mesure de leur parution, les publications canadiennes ou relatives au Canada :

Canadiana, 1950-..., Ottawa, Bibliothèque nationale du Canada, 1951-... Mensuel, avec refontes annuelles.
Signale les volumes, les thèses sur microfilm, les périodiques, brochures, enregistrements sonores, les films et films fixes, et les publications officielles.

Le 1er janvier 1968, la Bibliothèque Saint-Sulpice devient la Bibliothèque nationale du Québec, et l'année suivante, le Québec possède, lui aussi, sa bibliographie nationale :

Bibliographie du Québec, 1968-..., Montréal, Bibliothèque nationale du Québec, 1969-... Mensuel.
Cette bibliographie comprend deux parties : la deuxième regroupe les publications du Gouvernement du Québec, alors que la première signale les volumes, brochures, périodiques, « produits par le Québec ou dont le sujet principal est le Québec ».

Un répertoire recense l'ensemble de l'édition francophone disponible en librairie :

Répertoire de l'édition au Québec, Montréal, Édi-Québec, 1972-... Continue le *Catalogue de l'édition au Canada français*, Montréal, Conseil supérieur du livre, 1965-1970/71.
Comporte deux parties : la première signale les ouvrages dans un seul ordre alphabétique auteurs-titres, la seconde les regroupe par sujets. Deux index (collections et éditeurs), et plusieurs renseignements utiles (associations professionnelles, prix littéraires, etc.) complètent l'ouvrage.

Plusieurs répertoires se proposent de dépouiller les articles de journaux ou de revues :

Canadian Periodical Index / Index de périodiques canadiens, Ottawa, Association canadienne des bibliothèques, 1938-... Mensuel avec refontes annuelles.
Ce répertoire bilingue dépouille, en fait, surtout des périodiques canadiens de langue anglaise, et accorde peu de place aux périodiques littéraires. Il représente quand même une source non négligeable, surtout pour les années antérieures à 1966.

Index de l'actualité vue à travers la presse écrite, Québec, Microfor, 1976-... Mensuel avec refontes annuelles.

Ce répertoire qui, à l'origine, dépouillait uniquement *le Devoir* (de 1966 à 1972), a étendu son champ d'action à deux autres journaux : *la Presse* et *le Soleil* (depuis janvier 1973). En janvier 1976, Microfor a pris la relève de l'Université Laval qui en était l'éditeur depuis 1966. L'*Index de l'actualité* « répertorie tous les articles du quotidien *le Devoir*, la page éditoriale des quotidiens *la Presse* et *le Soleil*, de même que le cahier des arts et des lettres (livraison du samedi) de ces deux journaux ». Le répertoire permet l'accès aux textes selon deux approches : une section analytique et une section chronologique.

Périodex, index analytique de périodiques de langue française, Montréal, Centrale des bibliothèques, 1972-... Mensuel (sauf juillet et août) avec refontes annuelles.
Fait suite à *Index analytique*, Québec, Les Presses de l'Université Laval, 1966-1971/72.

Radar, répertoire analytique d'articles de revues du Québec, Montréal, Bibliothèque nationale du Québec, 1972-... Bimestriel avec refontes annuelles.
Ces deux répertoires se ressemblent à plusieurs égards : l'un et l'autre ont « la même fonction, des objectifs très voisins, une formule et une présentation presque similaire [3] ». Une quarantaine de titres sont communs aux deux répertoires. Subventionné par le ministère de l'Éducation, *Périodex* dépouille les articles publiés dans environ 200 revues françaises et québécoises. *Radar*, par contre, ne retient que les revues québécoises (à peu près 130), mais dépouille, en plus des articles, les comptes rendus paraissant dans les revues. Les deux répertoires offrent deux modes d'accès : analytique et méthodique.

Les chercheurs curieux de connaître ce qui s'écrit à l'étranger sur la littérature québécoise, pourront avoir recours à quatre répertoires, dont deux (Otto Klap et le *MLA International Bibliography*) consacrent une section aux lettres québécoises. Les deux autres intègrent les écrivains québécois aux écrivains français. Ces répertoires dépouillent généralement, outre les périodiques, les recueils d'articles, les ouvrages collectifs, de même que les thèses de *Dissertation Abstracts International* :

French XX Bibliography, critical and biographical references for French literature since 1885, New York, French Institute, 1969-... Annuel.

3. Lise Brunet, « Comptes rendus », *Documentation et bibliothèques*, vol. 19, nº 2, juin 1973, p. 93.

Fait suite à *French VII Bibliography*, 1940-1968, New York, Stechert-Hafner, 1949-1969.

KLAPP, Otto, *Bibliographie der französischen Literaturwissenschaft / Bibliographie d'histoire littéraire française*, 1956/58-... Frankfurt am Main, Klostermann, 1960-... Annuel.

Modern Language Association of America, *MLA International Bibliography of Books and Articles on the Modern Languages and Literatures*, 1921-..., New York, Kraus Reprint, 1964-... Annuel.

RANCŒUR, René, *Bibliographie de la littérature française du Moyen-Âge à nos jours*, 1962-..., Paris, Colin, 1963-... Annuel.

b. bibliographies spécialisées

BELL, Inglis Freeman et Susan W. PORT, *Canadian Literature / Littérature canadienne, 1959-1963, A checklist of creative and critical writings* / Bibliographie de la critique et des œuvres d'imagination, Vancouver, University of British Columbia, 1966, 140 p.
Comprend les bibliographies qui ont paru chaque année (de 1959 à 1963) dans *Canadian Literature* [4].

HAMEL, Réginald, *Bibliographie des lettres canadiennes-françaises, 1965*, par Réginald Hamel, avec la collaboration de Jeanne Benoist et Madeleine Corbeil, Montréal, Les Presses de l'Université de Montréal, 1966, 111 p.
Il s'agit d'un numéro spécial (juin 1966) de la revue *Études françaises*, lequel rassemble les bibliographies parues dans les trois numéros de 1965 de cette revue. Le plan adopté est sensiblement le même que celui du répertoire suivant.

HAMEL, Réginald, comp., *Cahiers bibliographiques des lettres québécoises*, Montréal, Centre de documentation des lettres canadiennes-françaises, Université de Montréal, 1966-1969, 4 vol.
Cette bibliographie qui, à l'origine, était courante, a cessé de

4. *Canadian literature/Littérature canadienne, a quarterly of criticism and review*, Vancouver, University of British Columbia, 1959-... Trimestriel. Jusqu'en 1971, cette revue a inclus un supplément bibliographique annuel, indiquant la production littéraire de l'année précédente. En 1973, la revue *Journal of Canadian Fiction* (Fredericton, Bellrock Press, 1972-... Trimestriel) prend la relève en publiant une bibliographie annuelle commentée, visant à « enregistrer tous les livres, articles, thèses, examens critiques de livres et de représentations théâtrales [...] » publiés l'année précédente, en français et en anglais.

paraître après la disparition du Centre de documentation. Divisée en quatre parties, elle donne livres et articles sur les ouvrages de référence, les généralités, les écrivains québécois (œuvres et critiques) et la critique canadienne sur la littérature étrangère. Index annuel des sujets et des écrivains.

Société des écrivains canadiens, *Bulletin bibliographique, 1937-1959*, Montréal, Éditions de la Société, 1937-1959, 23 vol.

Répertorie les livres et brochures dont les auteurs ou les éditeurs ont adressé un exemplaire à la Société. Comprend des ouvrages canadiens de langue française et des ouvrages étrangers édités ou réimprimés au Canada.

TOUGAS, Gérard, *A Checklist of Printed Materials Relating to French-Canadian Literature / Liste de référence d'imprimés relatifs à la littérature canadienne-française, 1763-1968*, 2e éd., Vancouver, University of British Columbia Press, 1973, 174 p.

1re éd. : 1958.

Cette bibliographie signalétique constitue un inventaire du fonds canadien-français de la bibliothèque de l'Université de Colombie britannique. « La première édition retenait le roman, la poésie, la nouvelle, le théâtre, les chroniques, la critique, les biographies et le folklore. La présente édition recense en plus un certain nombre de bibliographies et de thèses [5] [...]. »

TREMBLAY, Jean-Pierre, *Bibliographie québécoise : roman, théâtre, poésie, chanson, inventaire des* Écrits du Canada français, Cap-Rouge, Educo-Media, 1973, 252 p.

Compilée par un professeur de littérature québécoise, cette bibliographie vise à faire ressortir les ouvrages essentiels pour les études littéraires. Dans certains cas, l'auteur reproduit la table des matières des volumes, dans d'autres cas (les manuels d'histoire littéraire), il commente brièvement les principaux répertoires. Pour les genres littéraires : roman, poésie, théâtre, il signale les études critiques (livres et articles), alors que pour la chanson, il indique simplement quelques titres de volumes. L'ouvrage comprend plusieurs autres chapitres : les collections, les pseudonymes, et l'inventaire des *Écrits du Canada français*.

c. bibliographies consacrées à un sujet

1. *la poésie*

COPPENS, Patrick, « Poésie québécoise », *Bulletin de bibliographie*, vol. 3, no 2, novembre 1973, p. 225-254.

5. *Bulletin de bibliographie*, vol. 3, no 8, mai 1974, p. 1322.

Cette bibliographie, sélective et critique, vise à fournir la documentation nécessaire à un cours donné dans les Cegep. Elle comprend six parties : la bibliographie, les périodiques courants (longuement analysés), les études (monographies, articles de revues et quelques manuels), les anthologies, les auteurs et recueils, et enfin les documents sonores. L'auteur souligne qu'« on offre un choix de titres particulièrement étoffé pour la période 1968-1972 ».

FRASER, Ian Forbes, *Bibliography of French-Canadian Poetry, from the Beginnings of the Literature through the École littéraire de Montréal*, New York, Columbia University, 1935, 105 p.
Ce répertoire, qui constitue le premier inventaire de la poésie québécoise, comprend cinq chapitres, dont le premier et le plus important est consacré à la bibliographie générale : ouvrages généraux sur la littérature et la poésie, et bibliographies individuelles consacrées à chaque poète. Les quatre autres chapitres couvrent les répertoires biographiques et bibliographiques, les périodiques et les chansons folkloriques.

HARE, John, « Bibliographie de la poésie canadienne-française des origines à 1967 », dans *la Poésie canadienne-française*, Montréal, Fides, 1969, p. 601-698. (Archives des lettres canadiennes, 4.)
Afin d'éviter le double emploi, les études sur la poésie publiées avant 1935, et inventoriées dans le répertoire de Fraser, ne sont pas reprises ici. L'auteur spécifie aussi que sa bibliographie ne couvre pas la chanson ni la poésie publiée dans les périodiques. La bibliographie se compose de quatre parties : la première indique les études générales (livres et articles) sur la poésie. La seconde partie énumère les poètes, en citant, pour chacun, ses œuvres poétiques, suivies, quand il y a lieu, des principaux livres et articles sur l'auteur. La troisième donne une liste des anthologies et recueils collectifs, dans l'ordre chronologique, et enfin la dernière partie consiste en une chronologie de la poésie québécoise, de 1803 à 1967.

2. *le roman et le récit*

DROLET, Antonio, *Bibliographie du roman canadien-français, 1900-1950*, Québec, Les Presses de l'Université Laval, 1955, 125 p.
Ce répertoire signale, par ordre alphabétique d'auteurs, les œuvres des romanciers parues entre 1900 et 1950. L'ouvrage comprend un index des titres.

HARE, John, « Bibliographie du roman canadien-français, 1837-1962 », dans *le Roman canadien-français*, Montréal, Fides, 1971, p. 415-496, avec un supplément (1963-1969), p. 497-511. (Archives des lettres canadiennes, 3.)

Cette bibliographie est sensiblement identique à celle du même auteur, sur la poésie.

HARGER-GRINLING, Virginia A., *Aide bibliographique pour l'étude du nouveau roman canadien-français*, Regina, University of Regina, 1976, 57 p.
L'auteur, qui est professeur à l'Université de Regina, a rassemblé les livres, thèses et articles concernant le roman, le nouveau roman, et un choix de huit nouveaux romanciers : Hubert Aquin, Jean Basile, Gérard Bessette, Réjean Ducharme, Jacques Godbout, Anne Hébert, André Langevin et Jacques Renaud.

HAYNE, David M. et Marcel TIROL, *Bibliographie critique du roman canadien-français, 1837-1900*, Québec, Les Presses de l'Université Laval, 1968, 144 p.
Les auteurs présentent les romanciers dont les ouvrages ont paru en volume entre 1837 et 1900, en signalant pour chaque roman, les principales éditions en volume ou en feuilleton (avec l'indication des bibliothèques canadiennes où ces volumes sont conservés), les traductions en langue anglaise et les reproductions partielles parues dans des périodiques ou des recueils. Suit, pour chaque romancier, une liste des principaux livres et articles consacrés aux ouvrages romanesques de l'écrivain. Index des auteurs et des titres.

3. *l'essai*

Dans un article sur l'essai québécois [6], Fernand Dorais fait allusion à une bibliographie de 1 500 titres qu'il a compilée, pour fin de consommation universitaire, sur les essayistes du Québec de 1930 à 1970. Il nous a malheureusement été impossible de la consulter. Par ailleurs, quatre auteurs ont rédigé un historique de l'essai au Québec :

MARCEL, Jean, Jean-Charles FALARDEAU, Pierre de GRANDPRÉ et Michel BROCHU, « L'essai, de 1945 à nos jours », dans Grandpré, Pierre de, *Histoire de la littérature française du Québec*, Montréal, Beauchemin, 1969, vol. 4, p. 265-339.
Les auteurs ont distingué « quatre catégories d'écrivains voués à une littérature de réflexion » : la réflexion humaniste, la théorie d'un renouveau, la pensée politique et sociale et les écrits scientifiques.

6. Fernand Dorais, « Dimension de la culture dans l'essai contemporain au Canada français, 1930-1970 », *Revue de l'Université laurentienne*, vol. 6, nº 1, novembre 1973, p. 19.

4. *le théâtre*

DESCHAMPS, Marcel et Deny TREMBLAY, *Dossier en théâtre québécois; bibliographie,* Préface de Paul Troestler, Jonquière, Presses collégiales de Jonquière, 1972, 196 p.

Ce répertoire est né de la frustration de deux professeurs du Collège de Jonquière, qui se heurtaient à la pénurie d'instruments de travail pour le théâtre québécois, pénurie qui était d'ailleurs réelle en 1972. Aidés de quelques étudiants, ils ont donc préparé ce « modeste bilan de la critique parue dans les journaux, les revues et les livres ». L'ouvrage suit un plan bipartite : la première partie concerne le théâtre québécois en général, la seconde, le théâtre québécois en particulier, chaque partie se divisant en : études critiques, articles de revues et de journaux. La seconde partie indique aussi les œuvres, par ordre alphabétique d'auteurs. L'ouvrage est bien indexé.

DU BERGER, Jean, « Bibliographie du théâtre québécois de 1935 à nos jours », *Nord,* n°s 4-5, automne 1972-hiver 1973, p. 207-228.

Édition revue et augmentée de la bibliographie préparée par Jean Du Berger en 1970, à l'intention de ses étudiants de l'Université Laval. Il s'agit d'une bibliographie signalétique des pièces de théâtre publiées de 1935 à 1972, précédée d'une liste des études sur le théâtre.

HARE, John, « Bibliographie du théâtre canadien-français des origines à 1973 », dans *le Théâtre canadien-français,* Montréal, Fides, 1976, p. 949-999. (Archives des lettres canadiennes, 5.)

À la suite des bibliographies sur le roman et la poésie, l'auteur présente maintenant une « bibliographie des pièces de théâtre imprimées, ainsi qu'une liste des études sur le théâtre au Québec ». Malheureusement, la chronologie qui figurait dans les volumes consacrés à la poésie et au roman n'a pas été compilée pour le théâtre. Néanmoins cette bibliographie longtemps attendue sera, sans nul doute, un instrument de travail indispensable.

RINFRET, Édouard G., *le Théâtre canadien d'expression française; répertoire analytique des origines à nos jours,* Montréal, Leméac, 1975-...

Ce monumental ouvrage, qui comportera quatre volumes, est le fruit de huit ans de travail. Il présente, dans l'ordre alphabétique des auteurs, chaque pièce, avec un résumé, la date et le lieu de publication, les rééditions quand il y a lieu, ainsi que la localisation dans les bibliothèques canadiennes et québécoises. Un index des titres des pièces, avec référence au nom de l'auteur, complétera le dernier tome.

5. *la littérature radiophonique*

PAGÉ, Pierre, *Répertoire de la littérature radiophonique québécoise, 1930-1970*, par Pierre Pagé, avec la collaboration de Renée Legris et Louise Blouin, Montréal, Fides, 1975, 826 p. (Archives québécoises de la radio et de la télévision.)
Ce répertoire, le premier en son genre au Québec, est le résultat de cinq années de recherches effectuées par une équipe d'une dizaine de personnes. La principale partie de l'ouvrage réunit, dans l'ordre alphabétique des auteurs, les textes radiophoniques diffusés entre 1930 et 1970 (radioromans, radiothéâtres, textes humoristiques, contes et récits, etc.). Deux appendices présentent, d'une part une chronologie générale, d'autre part des tableaux-synthèse permettant d'évaluer « la durée des séries dans le temps et leur relation de diffusion simultanée avec d'autres œuvres ». Enfin trois index : titres; réalisateurs; scripteurs, concepteurs, producteurs et collaborateurs, complètent l'ouvrage. Les auteurs ont l'intention de publier éventuellement un *Répertoire de la télévision.*

6. *la chanson*

Bibliothèque nationale du Québec, *la Chanson au Québec, 1965-1975*, par Normand Cormier, Ghislaine Houle, Suzanne Lauzier et Yvette Trépanier, Préface de Guy Mauffette, Montréal, la Bibliothèque, 1975, 219 p. (Bibliographies québécoises, n° 3.)
Cette publication est composée presque exclusivement de livres et d'articles de périodiques. Quatre quotidiens ont été dépouillés : *la Presse, le Devoir, le Soleil, le Jour* et une vingtaine de revues. Les notices sont présentées selon l'ordre alphabétique des auteurs et des titres anonymes, avec index des titres et index des sujets. Dans leur introduction, les auteurs mentionnent plusieurs autres sources susceptibles d'orienter les chercheurs : discographies, centres de recherche, etc. On pourrait ajouter la section consacrée aux chansonniers dans les *Cahiers bibliographiques des lettres québécoises;* un bon nombre de journaux de province y sont dépouillés.

7. *la littérature orale*

DU BERGER, Jean, *Introduction à la littérature orale : documentation*, Québec, Université Laval, Archives de folklore, 1971, paginations diverses. (Dossiers de documentation des Archives de folklore de l'Université Laval, 1.)
Ce dossier de documentation, préparé à l'intention des étudiants inscrits au cours d'introduction à la littérature orale, fournit « des

éléments de bibliographie, des textes de littérature orale, des textes théoriques, des documents techniques et les grandes lignes des principales classifications utilisées par les folkloristes ». La bibliographie, qui constitue la première partie de l'ouvrage et couvre une quarantaine de pages, comprend deux sections : tout d'abord, la bibliographie générale sur le folklore, qui inclut les ouvrages généraux et les ouvrages canadiens; ensuite la bibliographie générale. La deuxième section est consacrée à la bibliographie canadienne : la littérature orale, les chansons (études et recueils), les contes (articles et textes), les légendes (études, textes, adaptations littéraires et légendes individuelles). L'ouvrage comprend une liste des dépôts d'archives au Canada, aux États-Unis et en France.

8. *le conte écrit*

BOIVIN, Aurélien, *le Conte littéraire québécois au XIXe siècle; essai de bibliographie critique et analytique,* Montréal, Fides, 1975, 385 p.

En tant qu'assistant de recherche au *Dictionnaire des œuvres littéraires du Québec,* Aurélien Boivin était particulièrement bien placé pour préparer cet inventaire du conte littéraire québécois. L'auteur a choisi de « présenter dans la première partie la liste des recueils de contes suivis de leur sommaire, puis la liste des contes par ordre alphabétique d'auteurs et par ordre chronologique à l'intérieur de chaque auteur. » Pour les conteurs jugés les plus importants, il a résumé les contes, en indiquant les références à des études ou articles consacrés au conteur.

9. *le domaine amérindien*

Bibliothèque nationale du Canada, *Auteurs indiens et inuit; bibliographie annotée / Indian-Inuit Authors; an Annotated Bibliography,* Ottawa, Information Canada, 1974, 108 p.

Ainsi que l'explique Guy Sylvestre dans son introduction, « on a abondamment écrit sur les Indiens et les Inuit du Canada [...]. Toutefois peu de tentatives ont été faites en vue de dresser un relevé définitif des œuvres écrites et publiées par les aborigènes du Canada ». Rédigée en collaboration, cette bibliographie se divise en deux parties : ouvrages d'auteurs indiens et métis du Canada, et ouvrages d'auteurs inuit du Canada. Pour chaque section, on distingue les livres, anthologies, poésie et chansons, articles, discours, conférences, langue et périodiques. Chaque notice est suivie d'un commentaire en français et en anglais. Les publications dont la date d'impression est ultérieure à 1972 ont été exclues, mais les auteurs ont l'intention de « mettre à jour la bibliographie de temps à autre et de la compléter progressivement ».

d. bibliographies consacrées à un écrivain

Plusieurs écrivains québécois ont fait l'objet d'une bibliographie. Il s'agit, le plus souvent, de thèses universitaires ou de travaux présentés en vue d'obtenir le diplôme de bibliothéconomie; quelques ouvrages bibliographiques ont aussi été publiés. Le plus complet et peut-être le meilleur à date, est sans doute l'ouvrage de Paul Wyczynski sur Nelligan, lequel constitue le premier volume de la collection « Bibliographies du Canada français », collection du Centre de recherche en civilisation canadienne-française, dirigée par Réginald Hamel et John Hare :

WYCZYNSKI, Paul, *Bibliographie descriptive et critique d'Émile Nelligan,* Ottawa, Éditions de l'Université d'Ottawa, 1973, 319 p. (Bibliographie du Canada français, 1.)

La Bibliothèque nationale du Québec a publié une bio-bibliographie de dix écrivains québécois :

Bibliothèque nationale du Québec, *Écrivains québécois de nouvelle culture,* par Ghislaine Houle et Jacques Lafontaine, Montréal, la Bibliothèque, 1975, 137 p. (Bibliographies québécoises, nº 2.) Bio-bibliographies de Paul Chamberland, Léonard Cohen, Raoul Duguay, Lucien Francœur, Louis Geoffroy, Georges Khal, Pierre Léger, Claude Péloquin, Patrick Straram et Denis Vanier.

Il serait intéressant de posséder une liste complète de ces bibliographies; on pourrait y inclure les bibliographies publiées à l'intérieur de volumes et de périodiques. Un tel répertoire, s'il était tenu à jour régulièrement, faciliterait beaucoup la recherche dans ce domaine. Pour l'instant, on peut avoir recours aux répertoires de thèses et aux bibliographies générales. Les bio-bibliographies des Écoles de bibliothéconomie canadiennes, et les ouvrages bibliographiques antérieurs à juin 1970, sont répertoriés, entre autres, dans l'ouvrage de Lochhead :

LOCHHEAD, Douglas, comp., *Bibliographie des bibliographies canadiennes / Bibliography of Canadian Bibliographies,* Index préparé par

Peter E. Greig, 2e éd. revue et augmentée, Toronto, University of Toronto Press, 1972, 312 p. Remplace : Tanghe, Raymond, *Bibliographies canadiennes,* Toronto, University of Toronto Press, 1960, 206 p.
Répertorie les ouvrages bibliographiques se rapportant de près ou de loin au Canada. Classement alphabétique, avec index des auteurs et des sujets.

e. répertoires de comptes rendus

À priori, il paraîtra sans doute inattendu de placer sous une même rubrique des répertoires aussi hétérogènes que *Livres et auteurs québécois* et le *Bulletin de bibliographie.* Nous avons choisi de les regrouper parce que ces revues, bien que poursuivant des objectifs différents, sont généralement utilisées en fonction des comptes rendus qu'elles contiennent.

Bulletin de bibliographie, revue de bibliographie de la Centrale des bibliothèques du Québec, Montréal, Centre de bibliographie, Centrale des bibliothèques, 1971-... Mensuel (octobre à juin).
Ce *Bulletin* vise un double but : le premier consiste à publier des bibliographies sélectives et critiques en vue d'aider les bibliothèques à construire des collections de base dans les différentes matières d'enseignement des Cegep. Le second « se rattache à la sélection courante de matériaux au Centre, avec la préoccupation prioritaire d'un choix coïncidant au maximum avec les besoins immédiats des collèges ». Chaque ouvrage retenu fait l'objet d'une brève analyse, suivie, dans certain cas, de références à d'autres comptes rendus. Le numéro de juin comprend l'index annuel : auteurs, titres, documents audio-visuels, index-sujets des bibliographies, etc.

Le livre canadien, Montréal, Office des communications sociales, 1970-... Mensuel (sauf juillet et août).
Rédigé en collaboration, *le Livre canadien* se spécialise dans le court compte rendu des volumes qui se publient au Québec, sur tous les sujets. L'index annuel se divise en trois parties : auteurs, titres et table analytique.

Livres et auteurs québécois, revue critique de l'année littéraire, Québec, Les Presses de l'Université Laval, 1969-... Annuel.
Fait suite à : *Livres et auteurs canadiens,* panorama de la production littéraire de l'année, 1961-1968, Montréal, Jumonville, 1961-1972.

Fondée par Adrien Thério en 1961, et continuée en 1973 par un comité de professeurs de littérature de l'Université Laval, cette publication recense les ouvrages les plus importants parus pendant l'année, dans le domaine des lettres, arts et sciences humaines. On y trouve aussi plusieurs autres renseignements utiles : prix littéraires de l'année, liste des thèses, études de littérature québécoise parues dans les revues, bibliographie générale, adresses des maisons d'édition. Chaque numéro comprend un index des auteurs cités ou étudiés.

Radar, l'*Index de l'actualité*, la section « Book reviews » de *Canadian Periodical Index / Index de périodiques canadiens*, sont autant d'autres sources qui permettent de retracer les recensions ou comptes rendus paraissant dans les revues et journaux québécois.

f. répertoires de thèses

NAAMAN, Antoine, *Guide bibliographique des thèses littéraires canadiennes de 1921 à 1969*, Préface de Jean Houpert, Montréal, Cosmos, 1970, 338 p.

BRODEUR, Léo A. et Antoine NAAMAN, *Répertoire des thèses littéraires canadiennes (janvier 1969- septembre 1971) / Index of Literary Theses (January 1969- September 1971)*, Sherbrooke, Centre d'étude des littératures d'expression française, 1972, 141 p. (Cahiers francophones, 2.)

Le répertoire de Naaman signale les thèses de maîtrise, doctorat et D.E.S., soutenues dans les universités canadiennes. L'ouvrage comprend trois parties : thèses en lettres canadiennes anglaises et françaises; thèses en lettres françaises et de langue française; thèses en lettres anciennes et étrangères (échantillonnage). Trois index complètent l'ouvrage : index analytique des mots clefs, index des auteurs et directeurs de thèses, index des auteurs ayant fait l'objet de thèse.

Le supplément de Brodeur et Naaman divise les thèses en : sujets généraux; études comparées; écrivains, par ordre alphabétique. Il est dommage que les auteurs n'aient pas « jugé opportun d'établir des index »; un index analytique et un index des auteurs de thèses auraient facilité la consultation de l'ouvrage.

Depuis 1968, la revue *Livres et auteurs québécois* offre une rubrique consacrée aux thèses canadiennes. Cette rubrique qui, au début, était limitée aux thèses de doctorat et de D.E.S. présentées à l'Université Laval, de Montréal et d'Ottawa, s'est élargie à partir de 1973. On signale maintenant la liste des thèses de maîtrise et de doctorat soutenues en français dans les universités canadiennes et québécoises. Les thèses sont regroupées sous quelques sujets généraux : littérature québécoise, littérature française, autres littératures, langue et linguistique.

Pour la période 1970 à nos jours, on peut consulter le *Répertoire des thèses de doctorat soutenues devant les universités de langue française* [7]. Environ une centaine d'universités francophones — dont les quatre universités québécoises de langue française — participent à ce répertoire. De consultation un peu difficile, il peut toutefois être utile pour compléter les autres sources, de même que pour repérer les thèses présentées à l'étranger sur la littérature québécoise.

Par ailleurs, la deuxième partie de *Canadiana* signale les thèses canadiennes sur microfilm ou microfiche, avec index des auteurs de thèses. On peut aussi utiliser le *Dissertation Abstracts International* [8] qui résume les thèses de doctorat américaines et canadiennes sur microfilm, avec index des auteurs et des sujets.

g. répertoire de spécialistes

LEMIRE, Maurice et Kenneth LANDRY, *Répertoire des spécialistes de littérature canadienne-française*, Québec, Archives de littérature canadienne, Université Laval, 1971, 93 p.

Premier en son genre, ce répertoire comble une lacune, en indiquant, pour chaque spécialiste, l'université où il enseigne, les recherches inédites, les publications et le titre des cours. L'ouvrage renferme aussi une liste alphabétique des thèses littéraires, de 1923 à 1970,

7. *Répertoire des thèses de doctorat soutenues devant les universités de langue française*, Québec, Centre de documentation, Université Laval, 1970-...; puis Chicoutimi, Service d'informatique, Université du Québec, 1973-... Semestriel. Publié par l'AUPELF.

8. *Dissertation Abstracts International, A : The humanities and social sciences*, Ann Arbor, Mich., Xerox University Microfilms, 1952-... Mensuel.

de même que trois tableaux analytiques : les genres, les auteurs et les thèmes à l'étude. Malheureusement, l'ouvrage étant « le fruit d'une enquête menée auprès des professeurs des diverses universités canadiennes », il est nécessairement incomplet. De plus un tel répertoire, de par sa nature, devient rapidement périmé. Si, comme il le souhaite, l'auteur réussissait à le tenir à jour, son répertoire serait d'une grande utilité pour tous les chercheurs [9].

h. répertoires de périodiques

On distingue généralement deux types de répertoires de périodiques : d'une part les listes, qui permettent à la fois de retracer l'identité des périodiques et de connaître les principaux périodiques consacrés à un sujet. D'autre part les catalogues collectifs, dont le but est d'indiquer la localisation des revues et journaux dans les bibliothèques. Toutefois certains répertoires renferment ces deux types de renseignements ; c'est le cas des répertoires de Beaulieu et Hamelin :

BEAULIEU, André et Jean HAMELIN, *les Journaux du Québec de 1764 à 1964*, Préface de Jean-Charles Bonenfant, Québec, Les Presses de l'Université Laval, 1965, 329 p. (Cahiers de l'Institut d'histoire, 6.)

Cet ouvrage signale les journaux publiés au Québec depuis deux siècles et indique les collections de 52 bibliothèques du Québec et de l'Ontario, ainsi que celles conservées par l'administration des journaux. Le classement est alphabétique selon les lieux d'édition, sous-classement alphabétique par titres. Chaque notice comporte le titre, les dates extrêmes de publication, la périodicité, la tendance politique, le tirage, les bibliothèques possédantes, avec l'état de la collection, et enfin quelques notes explicatives donnant des renseignements sur les faits et les noms qui ont marqué l'histoire du périodique. Deux index terminent l'ouvrage : index chronologique et index des titres.

9. Plus récemment, l'APFUC (Association des professeurs de français des universités canadiennes) et l'AUPELF (Association des universités partiellement ou entièrement de langue française) ont publié un *Répertoire des professeurs de français des universités canadiennes*, Montréal, l'APFUC et l'AUPELF, 1974, 253 p. Ce répertoire couvre les littératures française, québécoise, canadienne-française et de la francophonie, la langue française et la linguistique. La principale partie de l'ouvrage consiste en une liste alphabétique des professeurs, avec spécialités, champs de recherche et publications. L'ouvrage comprend aussi trois autres listes : les professeurs par spécialité, les départements et leurs professeurs, et les universités et collèges du Canada, avec adresses.

BEAULIEU, André et Jean HAMELIN, *la Presse québécoise des origines à nos jours*, Québec, Les Presses de l'Université Laval, 1973-... Tome I : 1764-1859. Tome II : 1860-1879.
Cette réédition couvre non seulement les journaux mais aussi les revues, et les notices sont suivies d'une « brève bibliographie des thèses, études et articles qui se rapportent spécifiquement à un périodique ». De plus le classement est différent : cette nouvelle édition est basée sur l'ordre chronologique, avec index des titres et index onomastique. Les auteurs envisagent la publication éventuelle d'une bibliographie des études consacrées à la presse québécoise.

1. *les listes*

Bibliothèque nationale du Québec, *Répertoire des périodiques québécois* : 1re partie, par Ginette Henry, Préface de Jean-Rémi Brault, Montréal, la Bibliothèque, 1974-...
Ce volume ne constitue que la première partie du répertoire, c'est-à-dire « les revues, journaux et microcopies catalogués et classifiés à l'heure actuelle ». Cependant la Bibliothèque nationale s'étant fixé l'objectif de posséder la collection complète des périodiques québécois, ce répertoire, lorsque terminé, devrait couvrir, en cinq ou six volumes, « l'ensemble des périodiques parus au Québec des origines à nos jours ». Le classement par sujets a été adopté, avec index des auteurs, titres et mots typiques. Chaque notice donne l'état de la collection.

La Centrale des bibliothèques a publié deux listes sélectives de périodiques, dont l'objectif est de guider les bibliothèques dans le choix des périodiques à acquérir :

Centrale des bibliothèques, Centre de bibliographie, *Périodiques pour les bibliothèques*, Montréal, le Centre, 1976, 273 p. (Sélections documentaires, 1.)
Ce répertoire « recense, sous 83 rubriques de sujets, quelque 1880 périodiques dans toutes les disciplines. Chaque titre présenté fait l'objet d'une annotation; des indices d'évaluation (catégories de lecteurs visés et qualité) sont également fournis dans chaque cas. Un index général des titres et des sujets facilite la consultation de l'ouvrage [10]. »

10. *Bulletin de bibliographie*, vol. 6, no 2, novembre 1976, feuille insérée dans le numéro.

Centrale des bibliothèques, Centre de bibliographie, *Périodiques pour les collèges*, Montréal, le Centre, 1974, 444 p. (Cahiers de bibliographie : collèges, 5.)
Divisé par disciplines, ce répertoire présente un choix de revues, chacune suivie d'une analyse permettant de dégager le contenu ou l'idéologie de la revue. Quand il y a lieu, on indique le répertoire qui dépouille le périodique. Les deux dernières sections sont réservées, l'une aux répertoires d'articles de périodiques, l'autre aux instruments de bibliographie courante. Un index des titres complète l'ouvrage.

De son côté, Lise Gauvin a dressé le bilan à peu près exhaustif des revues littéraires québécoises jusqu'à décembre 1974 :

GAUVIN, Lise, « Les revues littéraires québécoises de l'université à la contre-culture », *Études françaises*, vol. 11, nº 2, mai 1975, p. 161-189.
L'auteur présente, sous forme de texte suivi, une analyse des revues littéraires québécoises, suivie d'un répertoire des périodiques cités, avec la référence bibliographique complète.

Par ailleurs, un répertoire international permet de suivre la production courante :

Ulrich's International Periodicals Directory, a classified guide to current periodicals, foreign and domestic, New York, Bowker, 1932-... Bisannuel, avec suppléments annuels depuis 1966.

Irregular Serials and Annuals, an international directory, New York, Bowker, 1967-... Bisannuel, avec suppléments annuels.
Répertorie l'ensemble des périodiques publiés dans quelque 170 pays, sur tous les sujets. Pour chaque périodique, on donne la référence bibliographique complète, de même que les changements de titres quand il y a lieu. Classement par sujets avec index des titres, index des nouveaux périodiques et index des périodiques qui ont cessé de paraître.

2. *les catalogues collectifs*

Bibliothèque nationale du Canada, *Inventaire des périodiques de sciences sociales et d'humanités que possèdent les bibliothèques canadiennes / Periodicals in the Social Sciences and Humanities Currently Received by Canadian Libraries*, Ottawa, la Bibliothèque, 1968, 2 vol.
Liste alphabétique de quelque 1 200 périodiques possédés par 179 bibliothèques canadiennes.

Conférence des recteurs et des principaux des universités du Québec, Comité des bibliothèques, *Liste collective préliminaire des périodiques courants reçus par les bibliothèques des universités du Québec,* Québec, Les Presses de l'Université Laval, 1972, 6 vol.

Conférence des recteurs et des principaux des universités du Québec, Comité des bibliothèques, *Supplément,* Québec, Les Presses de l'Université Laval, 1975, 7 vol.
La liste de 1972 comprend les périodiques courants que reçoit la bibliothèque de l'Université Laval, et les titres identiques reçus par les autres universités du Québec et la Bibliothèque nationale du Québec. Le supplément comprend les titres courants reçus par les universités du Québec autres que Laval et non inclus dans la première liste.

LAURIN, Christiane Giguère, *Périodiques canadiens sur microfilms,* liste des microfilms disponibles au Québec dans les bibliothèques universitaires et à la Bibliothèque nationale, compilée par Christiane Laurin sous la direction de Jean-Pierre Chalifoux, Montréal, ministère des Affaires culturelles du Québec, 1970, 89 p. En tête du titre : Bibliothèque nationale.
Liste des microfilms de périodiques canadiens de langue française et de langue anglaise, disponibles au Québec.

New Serial Titles, a union list of serials commencing publication after December 1949, New York, Bowker, 1953-... Mensuel avec refontes annuelles et multiannuelles.
Répertorie les périodiques fondés après 1950, reçus par les bibliothèques américaines et canadiennes.

Union List of Serials in Libraries of the United States and Canada, 3rd ed., New York, Wilson, 1965, 5 vol.
Répertorie les périodiques fondés antérieurement à 1950, et conservés dans les bibliothèques américaines et canadiennes.

i. bibliographies d'ouvrages de référence

Bibliothèque nationale du Québec, *Bibliographie annotée des ouvrages de référence en usage au Bureau de la bibliographie rétrospective,* compilée par Pierre Mailloux, Montréal, la Bibliothèque, 1973, 131 p.

Bibliothèque nationale du Québec, *Premier Supplément,* compilé par Pierre Mailloux, Montréal, la Bibliothèque, 1975, 32 p.
Un feuillet inséré dans le volume le résume en ces termes : « Conçu dans le but de faciliter les recherches du personnel du Bureau de la bibliographie rétrospective, cet ouvrage peut également aider

ceux qui sont engagés dans des travaux similaires [...]. Il contient des analyses non seulement de répertoires biographiques et bibliographiques, mais aussi de divers documents intéressants par leur importante section biographique ou bibliographique. De plus, les annotations précisent le sujet de ces volumes et leur forme de présentation. Les 330 notices sont numérotées selon l'ordre d'accession, mais un index auteurs-titres-sujets permet un triple accès à chacune d'elles. »

Bibliothèque nationale du Québec, *les Ouvrages de référence du Québec,* bibliographie analytique compilée sous la direction de Réal Bosa, Montréal, la Bibliothèque, 1969, 189 p.

Bibliothèque nationale du Québec, *Supplément 1967-1974,* par Suzanne Lauzier et Normand Cormier, avec la collaboration de Ghislaine Houle et Yvon-André Lacroix, Montréal, la Bibliothèque, 1975, 305 p.
Bibliographie annotée des ouvrages de référence du Québec, dans toutes les disciplines. Quelque 130 notices sont consacrées à la littérature québécoise, et décrivent les bibliographies, dictionnaires, manuels d'histoire, ouvrages de critique littéraire, anthologies, et divers autres répertoires utiles. Le premier volume comprend un index auteurs-titres; le supplément, trois index : auteurs, titres et sujets.

BOUCHER, Raymond, Denis BOUCHER et Marcel MIGNEAULT, *Liste annotée d'ouvrages de consultation,* 2e éd. revue et augmentée, La Pocatière, Collège de Sainte-Anne-de-la-Pocatière, Stage en bibliothéconomie, 1969-1970, 4 vol. (Guides du personnel, 8.)

BOUCHER, Denis, Alain BOUCHER et Louise BLANCHET, *Supplément 1970-1972,* La Pocatière, Société du stage en bibliothéconomie de La Pocatière, 1973, 141 p.
Bibliographie analytique des ouvrages de référence dans tous les domaines. Chaque volume comprend un index des auteurs et des titres.

CHALIFOUX, Jean-Pierre, *Liste de sources bibliographiques relatives à la littérature canadienne-française,* 2e éd., Montréal, la Bibliothèque, Centre d'études canadiennes-françaises, McGill University, 1967, 12 p.
Ce texte a paru aussi, à peu près identique, dans le *Bulletin de l'ACBLF,* vol. 13, no 3, septembre 1967, p. 137-141. Il s'agit d'une liste signalétique de 90 ouvrages de référence.

COTNAM, Jacques, *Contemporary Quebec : an analytical bibliography,* Toronto, McClelland and Stewart, 1973, 112 p.
Conçue principalement en fonction des étudiants anglophones en

civilisation canadienne-française, cette bibliographie signale les principaux volumes publiés au Canada, en français et en anglais, au cours des vingt dernières années. Le chapitre réservé à la litttérature indique les bibliographies, l'état présent des recherches, les manuels d'histoire, les études critiques générales, les anthologies et ouvrages de critique sur les différents genres littéraires, et les traductions en langue anglaise. Une liste des principaux périodiques complète le chapitre.

HAMEL, Réginald et Pierre de GRANDPRÉ, « Bibliographie des instruments de travail en littérature canadienne-française », dans Grandpré, Pierre de, *Histoire de la littérature française du Québec*, Montréal, Beauchemin, 1969, vol. 4, p. 373-383.
Liste signalétique divisée en neuf catégories : anthologies, bibliographies, catalogues, dictionnaires, histoires littéraires, ouvrages de critique, l'essai, l'histoire, études générales sur le Canada français.

NAAMAN, Antoine, « Bibliographie sommaire de la recherche littéraire », dans *Guide bibliographique des thèses littéraires canadiennes de 1921 à 1969*, Montréal, Cosmos, 1970, p. 53-60.
L'auteur signale les études (livres et articles) sur la recherche, et les ouvrages de référence : sources bibliographiques, répertoires rétrospectifs généraux et par période, les catalogues, et un échantillonnage de sources sur différents sujets : annales et bulletins spécialisés ou de sociétés d'amis; bibliographies individuelles; expositions littéraires, conférences et colloques, etc.

II DICTIONNAIRES

a. dictionnaires biographiques et encyclopédiques

Depuis la parution toute récente du *Dictionnaire pratique des auteurs québécois,* plusieurs répertoires du même genre sont devenus caducs. C'est le cas, entre autres, du dictionnaire de Guy Sylvestre [11] qui a constitué pendant plusieurs années le seul répertoire biographique spécialisé pour la littérature. Il demeure toujours utile pour les écrivains canadiens-anglais et, peut-être, pour l'index des titres. Certains répertoires fournissent toutefois des renseignements différents, et c'est à ce titre qu'ils figurent ici.

11. Guy Sylvestre, Brandon Conron et Carl F. Klinck, *Ecrivains canadiens/Canadian Writers,* un dictionnaire biographique, 3e éd., Toronto, The Ryerson Press, 1967, 186 p.

Creative Canada, a biographical dictionary of twentieth-century creative and performing artists, Compiled by Reference Division, McPherson Library, University of Victoria, Toronto, University of Toronto Press, 1971-1972, 2 vol.

L'intérêt de ce dictionnaire réside dans l'inclusion de comédiens, metteurs en scène, chansonniers, cinéastes, et, bien sûr, écrivains québécois. La présentation est classique : classement alphabétique avec, pour chaque personnalité, biographie complète (date de naissance, adresse, études, prix remportés, etc.) suivie d'une liste des œuvres.

HAMEL, Réginald, John HARE et Paul WYCZYNSKI, *Dictionnaire pratique des auteurs québécois,* Montréal, Fides, 1976, 723 p.

Ce dictionnaire « constitue une source de références sur quelque six cents auteurs de langue française au Québec et dans les autres provinces du Canada », depuis Jacques Cartier jusqu'à nos jours. Les poètes, romanciers, dramaturges ont été privilégiés, mais on retrouve aussi des historiens, sociologues, journalistes, etc. Le classement est alphabétique par auteurs avec, pour chaque article, trois parties distinctes : la biographie, les œuvres et les études. Ce répertoire n'est pas complet, bien sûr, mais les auteurs précisent dans leur présentation qu'il s'agit d'un dictionnaire « en marche ». « Il en paraîtra, périodiquement, de nouvelles éditions revues, corrigées, complétées et enrichies de la production littéraire courante. » À l'heure actuelle, la deuxième édition est commencée et devrait contenir environ mille entrées. Mais, tel quel, ce dictionnaire s'avère déjà un instrument de travail très précieux.

PONTAUT, Alain, *Dictionnaire critique du théâtre québécois,* Montréal, Leméac, 1972, 161 p. (Collection Documents.)

Plutôt mal accueilli par la critique [12], ce dictionnaire présente, dans l'ordre alphabétique, un certain nombre de dramaturges québécois, depuis Marc Lescarbot jusqu'à Michel Tremblay. Après quelques renseignements biographiques, l'auteur critique les principales œuvres de l'écrivain. Cet ouvrage peut être utile pour retracer quelques auteurs dramatiques non inclus dans le *Dictionnaire pratique des auteurs québécois.*

STORY, Norah, *The Oxford Companion to Canadian History and Literature,* Toronto, Oxford University Press, 1967, 935 p.

12. On peut consulter à ce sujet l'article d'Adrien Thério, dans *Livres et auteurs québécois,* 1972, p. 224-225. M. Thério reproche à l'auteur, entre autres, d'avoir regroupé quelques « idées disparates », et de n'avoir pas fait de réels efforts pour présenter un répertoire convenable.

TOYE, William, *Supplement to the Oxford Companion to Canadian History and Literature*, Toronto, Oxford University Press, 1973, 318 p.
Ce répertoire rassemble, dans un classement alphabétique unique, des entrées aux écrivains, aux genres littéraires, aux écoles et mouvements littéraires, aux périodiques de littérature, etc. Le premier volume contient un index des titres, avec rappel de l'auteur et de l'année de publication.

Au moment de mettre sous presse, le *Dictionnaire des œuvres littéraires du Québec,* sous la direction de Maurice Lemire, n'était pas encore publié. On sait que le premier volume est terminé, et il « présente toutes les œuvres littéraires dignes d'intérêt pour les littéraires, les historiens, les sociologues et les chercheurs en général. Une courte biographie précède la première œuvre d'un auteur pour situer un peu le lecteur. L'article donne, s'il y a lieu, les circonstances de composition, un résumé de l'œuvre, une analyse et les principales interprétations. Suit une liste de toutes les éditions de l'œuvre et des principaux commentaires. Les articles sont classifiés en cinq catégories d'après leur importance [...]. Ce premier tome véhicule, de l'avis des spécialistes, une richesse de documentation jusqu'ici inaccessible [13] ».

b. autres dictionnaires

DES RUISSEAUX, Pierre, *le Livre des proverbes québécois,* Montréal, l'Aurore, 1974, 203 p. (Connaissance du pays québécois, 1.)

JANELLE, Claude, *Citations québécoises modernes,* Montréal, l'Aurore, 1976, 126 p.

STRICKLAND, David, *Dictionnaire de citations de la littérature québécoise,* Montréal, la Presse, 1974, 322 p.
Le volume de Des Ruisseaux comble une lacune évidente et « peut se targuer d'être le premier ouvrage consacré aux proverbes du Québec ». Les proverbes retenus proviennent de trois sources : cueillettes de l'auteur sur le terrain, archives et sources manuscrites diverses (livres, bulletins, almanachs). La classification des proverbes se fait selon l'ordre alphabétique des idées/thèmes, chaque proverbe étant suivi de notes « visant à dégager le contexte

13. *Vient de paraître,* vol. 11, nº 4, novembre 1975, p. 12.

d'utilisation des proverbes et maximes ». Selon les collaborateurs du *Bulletin de bibliographie,* on peut évaluer à moins de 25% le pourcentage de proverbes spécifiquement québécois, l'auteur ayant choisi de s'intéresser à « tout énoncé de type proverbial utilisé au Québec sans souci de son origine », de sorte qu'il aurait été plus juste d'intituler le volume : *le Livre des proverbes utilisés au Québec* [14].

Premier répertoire de citations québécoises, le dictionnaire de David Strickland présente, selon l'ordre alphabétique des thèmes, un choix de citations puisées chez les écrivains québécois, des origines à nos jours. L'ouvrage est intéressant, mais il le serait davantage si l'auteur avait ajouté un index des auteurs cités, et si les références qui suivent chaque citation comprenaient l'année de publication et la page; ce dernier renseignement permettrait de replacer les citations dans leur contexte.

Quant au répertoire de Claude Janelle, il se limite aux citations extraites de romans québécois publiés, à quelques exceptions près, entre 1945 et 1975. Il contient « plus de huit cents aphorismes puisés dans cent quatre-vingt romans ». Une bibliographie des romanciers cités complète l'ouvrage, mais, ici encore, aucune page n'est mentionnée.

VINET, Bernard, *Pseudonymes québécois,* Québec, Garneau, 1974, 361 p.
Édition revue et mise à jour de : Audet, François-Joseph et Gérard Malchelosse, *Pseudonymes canadiens,* Montréal, Ducharme, 1936, 189 p.

Dans son avertissement, l'auteur explique sa démarche : « Le but premier du présent ouvrage est d'identifier les pseudonymes. Toutefois, chaque fois qu'il nous a été possible, nous avons fait suivre l'identification de quelques œuvres écrites sous ce pseudonyme, ou encore, les titres et les dates des journaux et des revues dans lesquels le personnage avait utilisé un ou des pseudonymes ». En règle générale, la source bibliographique est indiquée entre parenthèses. Les pseudonymes que n'accompagne aucune source proviennent de l'édition de Audet et Malchelosse.

III MANUELS D'HISTOIRE LITTÉRAIRE

BAILLARGEON, Samuel, *Littérature canadienne-française,* 3e éd., Montréal, Fides, 1962, 525 p. 1re éd. : 1957, 2e éd. : 1960.

L'auteur précise que son livre est « destiné aux élèves des cours secondaire et collégial ». Après une première partie consacrée au rappel de l'histoire, de l'évolution politique, économique et sociale,

14. *Bulletin de bibliographie,* vol. 4, no 1, octobre 1974, p. 123.

il fait l'historique de la littérature canadienne-française de 1850 à 1960 : naissance des lettres canadiennes, 1850-1900; période de maturation, 1900-1930; orientations nouvelles, 1930-1960. Pour chaque période, il présente les principaux écrivains, avec biographie, étude de l'œuvre, extraits et références bibliographiques. L'ouvrage comprend une bibliographie sommaire et un index des écrivains.

BESSETTE, Gérard, Lucien GESLIN et Charles PARENT, *Histoire de la littérature canadienne-française par les textes; des origines à nos jours,* Montréal, Centre éducatif et culturel, 1968, 704 p.

Cet ouvrage se veut une histoire de la littérature canadienne-française par les textes; les auteurs « ont donc choisi les œuvres et les textes les plus significatifs et conduisent le lecteur des origines à l'époque contemporaine, faisant large la part du XXe siècle ». Pour chaque écrivain, on donne une biographie succincte, une bibliographie, une appréciation littéraire, et un choix de textes, suivis d'un questionnaire. Index des écrivains et des titres.

GRANDPRÉ, Pierre de, *Histoire de la littérature française du Québec,* Montréal, Beauchemin, 1967-1969, 4 vol.

Une trentaine de spécialistes ont participé à cet ouvrage, qui représente sans doute la synthèse la plus complète sur le sujet. Le premier volume couvre les origines à 1900, le deuxième, la période 1900-1945; les volumes 3 et 4 sont consacrés à la période 1945 à nos jours : la poésie, dans un cas, le roman, le théâtre, l'histoire, le journalisme, l'essai et la critique dans le cas du dernier volume. Chaque tome comprend un index des noms, un index des titres et une table des illustrations.

MAILHOT, Laurent, *la Littérature québécoise,* 2e éd. revue, Paris, Presses universitaires de France, 1975, 127 p. (Que sais-je? no 1579), 1re éd. : 1974.

« Ce petit ouvrage remarquable de concentration et de suggestivité lucide [...] constitue une « excellente initiation à l'histoire de la littérature canadienne-française et québécoise [15] ». L'auteur a distingué quatre périodes : les origines, 1534-1837; cheminements et reflets, 1837-1918; entre la campagne et la ville, 1918-1948; de la province au pays, 1948-1973. Une bibliographie sommaire et un index des écrivains complètent l'ouvrage.

TOUGAS, Gérard, *la Littérature canadienne-française,* 5e éd., Paris, Presses universitaires de France, 1974, 270 p. 1re éd. : 1960; 4e éd. : 1967. Titre de ces éditions : *Histoire de la littérature canadienne-française.*

15. David M. Hayne, *Livres et auteurs québécois,* 1974, p. 190-192.

Gérard Tougas a choisi de présenter l'histoire littéraire en cinq étapes : les difficiles débuts; l'âge de Garneau, 1845-1865; vers la création d'une tradition littéraire, 1865-1899; l'époque moderne, 1900-1939; l'époque contemporaine, à laquelle il a accordé une large place. Un dernier chapitre est consacré à la littérature canadienne dans ses rapports avec la France et sa culture. Cette édition a éliminé de la précédente une cinquantaine d'auteurs secondaires en les remplaçant par les nouveaux venus. Index des auteurs et des titres.

la littérature orale

JEAN DU BERGER

Encore une fois, faisons le point sur cette littérature orale de l'espace-temps qu'est l'Amérique française [1]. Par littérature orale, j'entends le corpus des chansons et des récits transmis dans un acte de communication d'ordre esthétique à l'intérieur d'un petit groupe [2]. Recueillis dans la situation de discours par une démarche de cueillette qui conserve au moins le contenu de l'acte de communication, les formes littéraires traditionnelles sont par la suite analysées et classifiées

1. Ce point a été fait par Marius Barbeau à plusieurs reprises ainsi que par Luc Lacourcière. De ce dernier, je citerai ici : « Les études de folklore français au Canada », dans *Culture*, 6, 1945, p. 3-9; « The Present State of French-Canadian Folklore Studies », dans *Journal of American Folklore*, 74, 1961, p. 373 382; « L'étude de la culture : le folklore », dans *Recherches sociographiques*, 3, 1962, p. 253-262; « La tradition orale du Canada », dans Galarneau, Claude et Elzéar Lavoie, (éd.), *France et Canada français du XVIe au XXe siècle, Québec*, Les Presses de l'Université Laval, 1966 (les Cahiers de l'Institut d'histoire, nº 7), p. 223-231.

2. C'est la définition proposée par Dan Ben Amos dans « Toward a Definition of Folklore in Context », dans *Journal of American Folklore*, 84, 1971, p. 10.

pour être conservées dans des dépôts d'archives [3]. Une partie de ces fonds a été publiée et déjà des monographies ont étudié des thèmes traditionnels. Mais la littérature orale, par sa définition même, n'est pas figée dans une forme qui serait immuable. À ce grand fonds cueilli en majeure partie dans la société paysanne, s'ajoutent maintenant des formes littéraires tout aussi traditionnelles, selon le sens profond de *tradition*, qui sont communiquées dans des contextes différents. Après avoir présenté l'état des travaux dans le domaine de la littérature orale, j'esquisserai pour terminer l'orientation des recherches.

Disons-le tout de suite : jusqu'ici, les travaux des folkloristes ont été surtout consacrés à la cueillette des formes littéraires traditionnelles, cueillette qui fut suivie d'une classification du matériel accumulé. Depuis le XIXe siècle, une pensée sous-tend ce projet de cueillette : des valeurs culturelles se perdent et il faut, de toute urgence, les conserver. En 1861, Henri-Raymond Casgrain proclame, dans la préface à ses *Légendes canadiennes* :

> L'histoire si poétique de notre pays est pleine de délicieuses légendes, d'anecdotes curieuses qui lui donnent tout l'intérêt du drame. Il en est encore une foule d'autres qui sommeillent au sein de nos bonnes familles canadiennes et dont le récit fait souvent le charme des longues soirées d'hiver. Mais, si nous n'y prenons garde, elles s'en iront bien vite, s'altérant, se perdant, tant enfin qu'à peine pourrions-nous, dans quelques années d'ici, en recueillir quelques lambeaux épars. Ne serait-ce pas une œuvre patriotique que de réunir toutes ces diverses anecdotes, et de conserver ainsi cette noble part de notre héritage historique ? [4]

Marius Barbeau, dans un article publié dans *Culture*, en 1941, semble conclure, à la suite de ses grandes enquêtes, que la

3. Sur la littérature orale, j'ai préparé un dossier de documentation : *Introduction à la littérature orale;* documentation, Québec, Les Presses de l'Université Laval, 1971, non paginé (dossiers de documentation des Archives de folklore de l'Université Laval, I).

4. Henri-Raymond Casgrain, Préface des *Légendes canadiennes*, 1861, reproduite dans Du Berger, Jean, *Introduction aux arts et traditions populaires*, Québec, Les Presses de l'Université Laval, 1973 (dossiers de documentation des Archives de folklore de l'Université Laval, V), p. 71-72.

prédiction de Casgrain était juste : venant de décrire le phénomène d'assimilation qu'il a pu observer « au Détroit, à Saint-Louis ou à la Nouvelle-Orléans », il en vient à voir dans le Québec le lieu privilégié de la « survivance française ». Il s'interroge :

> Si toutes ces traditions se conservaient dans Québec, la survivance serait assurée, comme par le passé. Mais se conservent-elles vraiment ? Non, elles disparaissent. Pas toutes, mais la plupart. (...) Que restera-t-il dans dix ou quinze ans de nos chanteurs et conteurs populaires ? Notre répertoire oral se meurt. Mais heureusement, il fut en bonne partie sauvé du naufrage, au dernier moment. Nous le conservons précieusement au Musée national, à son véritable titre de relique [5].

Disparition des formes traditionnelles, conservation de ces formes : prise de conscience suivie d'une action. Il faut surtout retenir que cette action se situe dans un contexte de péril qui menace une collectivité, au moins sur le plan culturel. À l'appel de Charles Nodier : « Hâtons-nous de raconter les délicieuses histoires du peuple avant qu'il les ait oubliées [6] », les chercheurs ont répondu en remplaçant « raconter » par « recueillir » ; la situation culturelle, telle que perçue, de Casgrain à Barbeau, l'exigeait.

Déjà, les « hommes de lettres » du XIXe siècle avaient donc emprunté au discours traditionnel la matière avec laquelle ils ont fait ces contes qui évoquent la tradition orale dont ils ne retiennent que les aspects pittoresques ou édifiants. Du corpus sauvage aux mille débordements et aux énormes excès, les écrivains rejettent les trop fortes images qui auraient pu remettre en question le monde de petits notables, clercs et laïcs, qui constitue leur public lecteur. Toutes ces histoires de diables, de lutins et de loups-garous se conforment au code moral du groupe et trouvent un dénouement acceptable dans la soumission du transgresseur à l'ordre dont l'élite (et les

5. Barbeau, Marius, « Notre tradition, que devient-elle ? », dans *Culture*, 2, 1941, p. 3-12.

6. Cité par Luc Lacourcière dans son article « Les études de folklore français au Canada », *Culture*, 6, 1945, p. 3-9.

écrivains en faisaient partie !) semble être la gardienne. Il reste pourtant une empreinte en creux, celle qu'a laissée le conteur ou le chanteur, ce *jongleur,* dont certains traits se retrouvent dans les types décrits par Aubert de Gaspé père, Joseph-Charles Taché ou Louis Fréchette qui fait revivre dans Jos Violon des conteurs « originaux » et peut-être aussi « détraqués » puisqu'ils étaient aux prises avec la parole dans son surgissement originel. Orienté, filtré, accommodé à la mode du jour, le discours traditionnel édulcoré que véhiculent ces contes intéresse la critique littéraire ; mais le folkloriste y perçoit un écho d'une toute autre parole.

C'est Marius Barbeau qui entreprendra la cueillette scientifique des formes littéraires traditionnelles et qui éveillera autour de lui l'intérêt d'hommes et de femmes qui collaboreront à cette tâche dont on a peine aujourd'hui à mesurer la difficulté. J'ai décrit, ici même, les enquêtes de Barbeau dans le domaine du conte [7]. À l'aide d'un code sténographique qu'il avait conçu, Barbeau s'astreignait à relever intégralement le récit. Pour conserver le rythme de l'action « dramatique », il ne fallait pas ralentir le débit du conteur et noter rapidement. Dans la cueillette des longs contes merveilleux, ce travail relève parfois de l'exploit. D'autant plus que Barbeau recueillait aussi les chansons traditionnelles en enregistrant un couplet et le refrain sur un cylindre de cire d'un des premiers appareils « Edison » et, à en juger par son fichier topographique, qu'il passait avec le même informateur d'un type de cueillette à une autre. C'est ainsi que ce pionnier a appris aux chercheurs la nécessaire démarche de celui qui veut connaître la tradition orale : il faut la saisir dans l'acte même où elle prend forme.

La deuxième campagne d'enquêtes ethnographiques eut pour maître d'œuvre Luc Lacourcière. Initié par Marius Barbeau aux techniques de l'enquête, il reprit, avec Félix-Antoine Savard, le chemin de Charlevoix où il retrouva les vieilles

7. « Marius Barbeau, le conte et le conteur », dans *Etudes françaises,* vol. 12, nº 1, avril 1976, p. 61-70.

traditions des jongleurs aux Grandes-Bergeronnes, aux Éboulements, à Saint-Irénée avant de poursuivre du côté de la Gaspésie et jusqu'en Acadie cette quête des formes littéraires traditionnelles [8]. Le fonds d'enquête de Lacourcière, conservé aux Archives de folklore de l'Université Laval, est non seulement considérable mais aussi de haute qualité. Humaniste, Lacourcière n'est pas engagé dans une sorte de cueillette désordonnée qui ramasse avec un enthousiasme primaire la moindre broutille. Le dépouillement des recueils anciens et l'analyse du fonds de Marius Barbeau lui avaient donné une connaissance approfondie du répertoire des conteurs et des chanteurs; il ne cherchait donc pas à l'aveuglette des pièces mystérieusement enfouies dans des isolats culturels. Complaintes religieuses ou profanes, contes merveilleux de haut lignage et fabliaux rabelaisiens sont fixés sur les rubans magnétiques : patiemment, Lacourcière construit ainsi une sorte de monument à ces hommes et ces femmes qui, avec humilité, faisaient œuvre d'art. Ce faisant, il contribue à mieux faire connaître la culture traditionnelle de l'homme d'ici, certes, mais relie ces faits à la tradition universelle afin de parvenir « à une véritable science de la grande fraternité humaine [9] ».

Le projet ethnographique de Luc Lacourcière prit bientôt de l'ampleur grâce à la collaboration qu'il sut obtenir de ses étudiants puis des chercheurs qui sont venus former l'équipe des Archives de folklore. Déjà, en 1945, il dirige l'enquête d'une religieuse américaine à Sainte-Brigitte-de-Laval près de Québec. De cette enquête naîtra la belle monographie de sœur Marie-Ursule : *Civilisation traditionnelle des Lavalois* [10]. Viendront enrichir de leurs enquêtes le fonds des

8. La consultation du fichier topographique des enquêtes de Lacourcière permet de suivre à la trace le collecteur. Ce fichier est déposé aux Archives de folklore du Centre d'études en langue, arts et traditions populaires de la Faculté des lettres de l'Université Laval (CELAT).

9. Luc Lacourcière, « Les études de folklore français au Canada », *Culture*, 6, 1945.

10. Sœur Marie Ursule, *Civilisation traditionnelle des Lavalois*, Québec, Les Presses de l'Université Laval, 1951, 403 p. (Archives de folklore, nos 5-6).

archives sonores de Laval : Conrad Laforte, Roger Matton, Dominique Gauthier, Jean-Claude Dupont ainsi que de nombreuses générations d'étudiants inscrits au programme d'études d'ethnographie traditionnelle de l'Université Laval [11].

Mais la cueillette de formes littéraires traditionnelles ne se limite pas à ce qui se fait à l'Université Laval ! Le Musée de l'Homme d'Ottawa, dépositaire des collections de Marius Barbeau, a commandité des enquêtes qui sont venues augmenter le fonds ancien. À l'Université Laurentienne de Sudbury, le père Germain Lemieux poursuit des enquêtes dans le cadre du Centre franco-ontarien de folklore qu'il a fondé. À l'Université de Moncton, au Nouveau-Brunswick, des chercheurs travaillent à la cueillette de la tradition d'Acadie avec un des pionniers dans ce domaine, le père Anselme Chiasson. Enfin, depuis quelques années, l'Université Memorial de Saint-Jean à Terre-neuve, recueille le répertoire des groupes francophones de cette province.

En somme, la cueillette des formes littéraires traditionnelles a constitué un fonds énorme de faits de culture populaire, masse de documents sonores et manuscrits où se confondent les genres, les niveaux de conservation et les degrés d'authenticité. Cette matière, il fallait l'analyser afin de la classifier et de la « maîtriser ». Dans le domaine de la chanson folklorique, dès 1958, Conrad Laforte faisait paraître un premier catalogue de la chanson folklorique française qui regroupait sous un titre critique les versions connues de chaque chanson [12]. Ainsi, sous le titre-critique de *les Corps de métiers,* étaient regroupées les versions canadiennes publiées et inédites ainsi que les autres versions de la francophonie d'une chanson décrivant la tournée du Diable sur la terre où il vient chercher les âmes des hommes appartenant à tous les corps de métiers. Le catalogue de Laforte était un premier

11. Fausse est la rumeur qui voudrait que les enquêtes ne sont plus possibles : à chaque trimestre, les étudiants de premier cycle inscrits à mon cours d'introduction à la littérature orale trouvent conteurs et chanteurs.

12. *Le Catalogue de la chanson folklorique française,* Québec, Les Presses de l'Université Laval, 1958, xxix-397 p. (Archives de folklore).

pas vers une classification du corpus de la chanson; cette classification est désormais établie : elle se fonde sur les formes prosodiques des textes de poésie traditionnelle.

Pour sa part, Luc Lacourcière a entrepris la classification des récits traditionnels. Dans le domaine du conte, il mit en chantier le *Catalogue raisonné du conte populaire français d'Amérique du Nord* [13] qui suit la classification internationale établie par Anti Aarne et Stith Thompson [14]. Chaque conte type est étudié comme suit : reproduction d'une bonne version, décomposition de chaque version parallèle en ses éléments narratifs avec identification des motifs [15], étude critique [16]. Le même chercheur a conçu une classification des faits de folklore qui regroupe sous une cote non seulement les récits à caractère légendaire mais aussi les genres de la littérature fixée : proverbes, dictons, comptines, formulettes, devinettes, blasons et gentilés. Dans le cadre de cette classification, les légendes sont identifiées par un titre critique; sous cette étiquette, on trouve la liste des versions publiées ainsi que des versions inédites et la mention de l'utilisation d'un sujet à caractère légendaire par un écrivain.

Ces instruments de travail permettent de connaître systématiquement le contenu du corpus de la littérature orale de la francophonie nord-américaine ainsi que les rapports entre ce corpus et ceux de la France, de la Suisse romande et de la Belgique wallonne. Ils donnent l'inventaire des archives et

13. Voir la communication de Luc Lacourcière au Congrès de Kiel de l'Association pour la recherche dans le domaine des récits traditionnels : *le Conte populaire français en Amérique du Nord*, Berlin, Walter de Gruyter et Co., 1961.

14. Stith Thompson, *The Types of the Folktale, a classification and bibliography*, Second revision, Helsinki, Academia Scientarum Fennica, 1961, 588 p. (FFC, nº 184).

15. En rapport avec l'énorme répertoire de Stith Thompson : *Motif-Index of Folk-Literature*, Bloomington, Indiana, Indiana University Press, 1955, 6 vol.

16. Lacourcière a publié quelques analyses de contes qui feront partie du catalogue du conte : « Les transplantations fabuleuses; conte-type 660 », extrait des *Cahiers d'Histoire*, nº 22, Québec, Archives de folklore, 1970, 12 p.; « Les échanges avantageux (conte type 1655) », dans *les Cahiers des Dix*, nº 35, 1970, p. 227-250; « Le ruban qui rend fort (conte type 590) », dans *les Cahiers des Dix*, nº 36, 1971, p. 235-297.

ouvrent ainsi aux chercheurs des perspectives singulièrement élargies. Accessible surtout par les textes publiés, la littérature orale était desservie par le fait que ces publications, somme toute peu nombreuses, se trouvaient dans des périodiques ou des recueils rares. Les pistes sont maintenant clairement marquées de points de repères.

Dans le domaine de la chanson, longtemps, le recueil classique d'Ernest Gagnon, *Chansons populaires du Canada*, publié en 1865, demeura la seule source jusqu'à ce que Marius Barbeau fasse paraître le très beau *Romancero du Canada* en 1937 [17]. Barbeau, s'inspirant de Doncieux [18], propose dans ses publications des textes dit « critiques » qui empruntent à plusieurs versions les éléments d'une version « complète » qui se veut la plus proche de cette forme première que la transmission orale a transformée. C'est dans cette perspective que Barbeau prépara le *Rossignol y chante* qui rassemble les textes d'anciennes complaintes religieuses et profanes [19]. Dans la collection des *Archives de folklore*, Russell Scott Young publiait, il y a déjà vingt ans, *Vieilles chansons de la Nouvelle-France;* récemment, la même collection s'enrichissait du *Romancero d'Acadie* qui est le résultat des cueillettes du docteur Dominique Gauthier de Shippagan et du travail d'ethnomusicologue de Roger Matton [20]. Le Père Germain Lemieux publiait pour sa part dès 1950 dans la collection des « Documents historiques » de la *Société historique du Nouvel-Ontario* un recueil intitulé *Folklore franco-ontarien : chansons*. Suivront, *Chanteurs-franco-ontariens et leurs chansons*

17. Le romancero fut étudié par Beauchemin à Montréal.

18. Georges Doncieux, *le Romancero de la France*, Paris, Librairie Emile Bouillon, 1904, xliv-522 p.

19. *Le Rossignol y chante;* première partie du Répertoire de la chanson folklorique française au Canada, Ottawa, Musée national du Canada, 1962, 485 p. (Bulletin nº 175, nº 52 de la série anthropologique). De Barbeau, je mentionnerai aussi son intéressant recueil, *Alouette!*, Montréal, Lumen, coll. « Humanitas », 1946, 216 p.

20. Dans les numéros collectifs des *Archives de folklore*, nous pouvons trouver plusieurs textes de chansons : Marius Barbeau, « La blanche biche », dans *Archives de folklore*, 4, 1949, p. 137-149; Luc Lacourcière, « La vieille magicienne », dans *Archives de folklore*, 1, 1946, p. 82-86. Ce n'est pas tout.

en 1963 et *Chansonnier franco-ontarien* en 1974 [21]. Enfin, des études portant sur l'ensemble de la culture traditionnelle comportent une section sur la chanson folklorique. Mentionnons ici l'ouvrage de sœur Marie-Ursule dont nous avons déjà parlé et *la Littérature orale en Gaspésie* de Carmen Roy [22].

Le conte traditionnel fait son apparition dans le recueil publié par Paul Stevens en 1867, *Contes populaires* [23]. Ces « contes » ont fait l'objet d'un exercice de « ré-écriture » de la part de l'auteur qui a pourtant puisé dans la matière traditionnelle. Ainsi, le conte type 330, *les Trois Diables,* dont l'Almanach Beauchemin fera connaître périodiquement la version de Stevens, y trouve place avec le conte type 750 A, *les Trois Souhaits,* et plusieurs autres. Mais le corpus du conte populaire ne sera solidement établi que par la publication des récits recueillis par Marius Barbeau et ses collaborateurs. Entre 1916 et 1950, dans le *Journal of American Folklore,* sous le titre de « Contes populaires canadiens », Barbeau publiera un fonds qui couvre tous les domaines du conte : contes d'animaux, contes merveilleux et fabliaux [24]. Grâce à

21. Germain Lemieux, s.j., *Folklore franco-ontarien : chansons II,* Sudbury, Société historique du Nouvel-Ontario, 1950, 48 p. (Documents historiques, nº 20) ; *Chanteurs franco-ontariens et leurs chansons,* Sudbury, La Société historique du Nouvel-Ontario, 1963-1964, 113 p. (Documents historiques, nºs 44-45) ; *Chansonnier franco-ontarien,* Sudbury, Centre franco-ontarien de folklore, Université de Sudbury, 1974.

22. *La Littérature orale en Gaspésie,* 2e édition, Ottawa, Musée national du Canada, 1962, 389 p.

23. *Contes populaires, Ottawa,* G.E. Desbarats, 1867 (13) - 252 p.

24. Les textes de Marius Barbeau ont paru dans les volumes qui suivent du *Journal* : 29, 1916, p. 1-137; 30, 1917, p. 1-140; 32, 1919, p. 112-167. Les récits recueillis par ses collaborateurs ont paru de 1916 à 1950 dans la même revue : Evelyn Bolduc, « Un conte de la Beauce », *JAF,* 29, 1916, p. 137-140; « Contes de Beauce », *JAF,* 32, 1919, p. 90-101. Adélard Lambert, « Contes populaires canadiens (quatrième série) », *JAF,* 36, 1923, p. 205-271; « Contes populaires canadiens (septième série) », *JAF,* 53, 1940, p. 91-161. Gustave Lanctôt, « Contes populaires canadiens (cinquième série) : Contes de Québec », *JAF,* 39, 1926, p. 372-449; « Contes populaires canadiens (sixième série) : Contes du Canada français », *JAF,* 44, 1931, p. 225-289; « Fables, contes et formules », *JAF,* 29, 1916, p. 141-151. Victor Morin, « Facéties et contes canadiens », *JAF,* 30, 1917, p. 141-157. Malvina Tremblay, « Contes de Chicoutimi et de La Malbaie », *JAF,* 32, 1919, p. 101-112. Carmen Roy, « Contes populaires canadiens (huitième série) », *JAF,* 63, 1950, p. 199-230.

cette collection, les récits traditionnels seront enfin accessibles sans avoir été trop adultérés.

Dans la collection des *Archives de folklore,* Marie-Rose Turcot et Carmen Roy publieront des « contes populaires » qui semblent poursuivre l'entreprise du *Journal of American Folklore* : le titre de l'article de Marie-Rose Turcot dans le troisième numéro des *Archives,* « Contes populaires canadiens », reprend en effet les titres des « séries » publiées dans les numéros spéciaux de cette revue. Mais la publication des numéros collectifs est remplacée par celle de monographies et le corpus paraîtra dans le cadre de ces études [25]. Le Père Germain Lemieux, de son côté, avait entrepris la publication des contes de sa collection dès 1953. Les deux brochures publiées par la Société historique du Nouvel-Ontario [26] n'était que le coup d'envoi d'une œuvre qui enrichira le corpus publié d'un fonds très riche. Les huit volumes parus de *les Vieux m'ont conté* sont construits autour de la personne des conteurs. Pour le Père Lemieux, le conte n'est pas un objet qui n'existe que par le fait qu'il a été cueilli mais bien une œuvre d'art qui appartient à celui qui l'a vraiment créé dans l'acte de communication : c'est pourquoi les contes se regroupent naturellement autour de celui dont ils constituaient le répertoire. Justice est ainsi rendue à ces artistes, héritiers des *jongleurs,* qui ne sont pas des chaînons passifs dans la succession des actes de communication mais des artisans libres qui utilisent la plus éphémère des matières, la parole [27]. C'est aussi autour d'un conteur, Isaïe Jolin de la Beauce, que

25. Marie-Rose Turcot, « Trois contes populaires canadiens », dans *Archives de folklore,* 1, 1946, p. 153-172; « Contes populaires canadiens (deuxième série) », dans *Archives de folklore,* 3, 1948, p. 65-81. Carmen Roy, « Contes populaires de la Gaspésie », dans *Archives de folklore,* 4, 1949, p. 105-127.

26. Germain Lemieux, s.j., *Contes populaires franco-ontariens,* Sudbury, La Société historique du Nouvel-Ontario, 1953, 40 p. (Documents historiques, nº 25) ; *Contes populaires franco-ontariens, II,* Sudbury, La Société historique du Nouvel-Ontario, 1958, 59 p.

27. *Les Vieux m'ont conté,* Montréal, Bellarmin, Paris, Maisonneuve et Larose, 1974-..., 8 volumes parus.

Jean-Claude Dupont a préparé son recueil, *Contes de bûcherons,* qui présente le répertoire d'un seul homme [28].

La publication des textes de récits à caractère légendaire est plus difficile. Alors que le conte est pourvu d'une forte structure qui le fait reconnaître et rechercher par l'enquêteur, la légende s'adapte aux lieux, se cache sous l'apparence du fait vécu et, souvent, prend l'allure d'une anecdote locale sans intérêt. De plus, elle ne vit que dans et par la croyance dont elle est le signe singulièrement efficace. Ici, l'acte de communication n'a pas pour fonction première de divertir mais de persuader. Le récit remplit une fonction rhétorique dans une situation de crise : à celui qui veut s'écarter des prescriptions du code, récit est fait du sort qui a frappé autrefois ceux qui avaient osé dévier [29]. Si la transgression entraîne une punition; la soumission est récompensée. Or, ces récits sont utilisés dans des circonstances particulières qui ne se retrouvent pas toujours dans une situation d'enquête. Souvent, une légende se raconte en quelques phrases. Il n'y a pas là matière à publication. Pourtant, nous sommes ici en présence d'un récit naissant. Lorsqu'il sera sorti du cercle formé par le « témoin-qui-raconte » et ses auditeurs, ce récit progressivement se développera dans le cadre structural canonique; la progression dramatique sera accentuée, des dialogues viendront remplacer la description neutre d'un affrontement, l'intérêt sera soutenu par tout l'arsenal des ruses d'un grand conteur. Évoluant dans le temps, le récit se retrouvera bientôt hors du contexte idéologique qui lui donnait son efficacité rhétorique. N'étant plus objet de croyance, il sera récupéré par la fonction ludique. C'est ainsi que le Diable beau danseur ne fait plus peur à personne : à la télévision, il a rejoint la galerie de ces vilains personnages qui finissent toujours par être vaincus, souvent par le ridicule. Les récits à caractère légendaire que nos écrivains du XIXe siècle ont produit avec tant de constance n'intéressent donc qu'indirectement le

28. Jean-Claude Dupont, *Contes de bûcherons,* Montréal, Quinze, 1976, 215 p. Dans *Héritage d'Acadie,* Montréal, Leméac, 1977, 376 p., Dupont reproduit du matériel recueilli là-bas.

29. J'aborde rapidement cette question dans un article publié dans la *Revue de l'Université laurentienne,* 8, 1976, p. 8-20 : « Le Diable dans les légendes du Canada français ».

folkloriste [30]. Certes, il faut tenir compte des deux de Gaspé, d'Honoré Beaugrand, de Louis Fréchette, de Faucher de Saint-Maurice et de Joseph-Charles Taché ! [31] Mais la légende, dans leur œuvre, est déjà un conte, c'est-à-dire un objet qui a pour but de plaire, non de convertir ou d'expliquer. Marius Barbeau, toujours lui, dans l'important numéro spécial du *Journal of American Folklore* de juin 1920, présentera les témoignages des informateurs tels qu'il les a recueillis [32]. Plus tard, sœur Marie-Ursule et Carmen Roy reproduiront de ces témoignages dans leurs études.

Pour terminer ce tour d'horizon, je note que la publication de textes de littérature fixée est plutôt rare. Il est évident que les proverbes ou les devinettes sont facilement masqués par les grands textes de la littérature orale. *Le Roi Renaud* a ses lettres de noblesse tandis que la pauvre devinette entendue à la sauvette semble une matière bien humble. Grâce à Luc Lacourcière, nous possédons le corpus des comptines canadiennes [33] tandis que quelques formulettes et devinettes ainsi que des blasons populaires nous ont été conservés par E.-Z. Massicotte et Marius Barbeau [34].

Le projet ethnographique ne peut s'arrêter à la cueillette, à l'analyse, à la classification, à la conservation et à la publication des faits de culture traditionnelle. Il faut dégager le

30. Qui les utilise pourtant en les soumettant à une critique dont l'analyse comparée n'est que le premier pas. Voir le dossier que j'ai préparé : *les Légendes d'Amérique françaises;* première partie : textes, Québec, Les Presses de l'Université Laval, 1973, 300 p. (dossiers de documentation des Archives de folklore de l'Université Laval, III).

31. Et de combien d'autres! Voir bibliographie établie par Aurélien Boivin : *le Conte littéraire québécois au XIXe siècle*, essai de bibliographie critique et analytique, Montréal, Fides, 1975, xxxviii-385 p.

32. Marius Barbeau, « Anecdotes de Gaspé, de la Beauce et de Témiscouata », dans *Journal of American Folklore*, 33, 1920, p. 173-258. Les articles de Georges Mercure et Jules Tremblay, « Anecdotes de la Côte-Nord, Portneuf et de Wright », p. 259-272, ainsi que du docteur J.-E.-A. Cloutier, « Anecdotes de l'Islet », p. 274-294, nous présentent un matériel remanié. Barbeau utilisera plusieurs de ces récits dans son livre, *l'Arbre des rêves*, Montréal, Lumen, coll. «Humanitas», 1947, 189 p.

33. « Comptines canadiennes », dans *Archives de folklore*, 3, 1948, p. 109-157.

34. E.-Z. Massicotte, « Formulettes, rimettes et devinettes du Canada », dans *Journal of American Folklore*, 33 ,1920, p. 299-320; Marius Barbeau, « Blason, géographie et généalogie populaires du Québec (Beauce, Gaspé et Témiscouata) », p. 346-366.

sens de cette abondante matière, qu'il s'agisse du sens profond du texte en soi, dans son existence d'œuvre d'art, ou du sens qu'il prend dans le contexte où il a été produit. Or, avant de parvenir à ce niveau d'interprétation, le folkloriste doit bien circonscrire l'objet de son analyse. Il est en présence de fragments de forme et d'éléments narratifs complémentaires qui se rapportent à une même forme théorique mais qui, dans le contexte de leur cueillette, demeurent autonomes. L'analyse comparée permettra d'aborder l'œuvre dans sa forme théorique tout en ne perdant pas de vue le jeu des variantes dans les coordonnées de l'espace et du temps. Cette obligation de tenir compte de toutes les variantes explique que les études des folkloristes ont jusqu'ici porté sur l'exploration des variantes d'un conte ou d'une chanson et sur la comparaison de ces textes. Première approche du *sens* de l'œuvre.

Dans le domaine du conte, sous la direction de Luc Lacourcière, trois monographies ont été préparées et publiées : le conte type 706, *la Fille aux mains coupées*, a été étudié par Hélène Bernier et celui de *la Mensongère*, conte type 710, par Nancy Schmitz; de son côté, le Père Lemieux faisait l'analyse du conte de *Placide-Eustache* [35]. Le même auteur abordait le sujet des conteurs dans *les Jongleurs du Billochet* [36]. Les légendes n'ont fait l'objet que d'une seule étude publiée : il s'agit de la thèse de Catherine Jolicœur sur *le Vaisseau-fantôme* [37]. Dans son *Légendaire de la Beauce* [38], Jean-Claude

35. Hélène Bernier, *la Fille aux mains coupées* (conte type 706), Québec, Les Presses de l'Université Laval, 1971, xi-190-1 p. (Archives de folklore, nº 12); Nancy Schmitz, *la Mensongère* (conte type 710), Québec, Les Presses de l'Université Laval, 1972, xiv-310 p. (Archives de folklore, nº 14); Germain Lemieux, *Placide-Eustache : sources et parallèles du conte type 938*, Québec, Les Presses de l'Université Laval, 1970, 214 p. (Archives de folklore, nº 10).

36. Germain Lemieux, *les Jongleurs du billochet*, conteurs et contes franco-ontariens, Montréal, Bellarmin, 1972, 134 p. (Documents historiques de la Société historique du Nouvel-Ontario, nºs 61-63).

37. Catherine Jolicœur, *le Vaisseau fantôme;* légende étiologique, Québec, Les Presses de l'Université Laval, 1970, viii-2-337 p. (Archives de folklore, nº 11).

38. Jean-Claude Dupont, *le Légendaire de la Beauce*, Québec, Garneau, 1974, 149 p. (Garneau-Histoire). Cet ouvrage reprend l'essentiel du *Monde fantastique de la Beauce québécoise*, Ottawa, Centre canadien d'études sur la culture traditionnelle, Musée national de l'homme, coll. « Mercure », 1972, 116 p.

Dupont présente les thèmes recueillis au cours d'une enquête portant sur les légendes mais aussi sur les croyances et pratiques de la Beauce. Enfin, dans une série d'articles publiés dans *les Cahiers des Dix,* Luc Lacourcière a étudié dans toute son extension une des plus célèbres légendes, celle de la Corriveau. Grâce au recours à des sources primaires sûres, Lacourcière établit les faits sur lesquels la légende a été formée puis il retrace l'évolution des récits et dégage les grandes lignes de la formation des traits légendaires. Étude exhaustive qui ne laisse rien au hasard, l'analyse de Lacourcière est une illustration remarquable de l'étude comparée [39]. Ces derniers temps, la critique littéraire a entrepris l'étude des rapports entre l'oral et l'écrit dans le domaine du conte littéraire. Ce problème a été abordé ici même, l'an dernier, dans l'important article de Jeanne Demers et de Lise Gauvin [40]. Betty Bednarski analyse aussi rapidement la question dans sa communication, « Entre l'oral et l'écrit : les contes de Philippe Aubert de Gaspé père [41] ».

La chanson folklorique a fait l'objet de plusieurs monographies préparées par Luc Lacourcière [42]. L'étude de la complainte *les Écoliers de Pontoise* démontrait combien la tradition canadienne pouvait éclairer d'une lumière nouvelle des problèmes causés par des lacunes dans la tradition française; pour sa part, l'article « Les transformations d'une chanson folklorique : du Moine tremblant au Rapide-Blanc » établissait d'admirable façon le lien entre un fait de culture populaire actuel et la tradition à laquelle il se rattache [43]. En

39. « Le Triple destin de Marie-Josephte Corriveau (1733-1763) », « Le destin posthume de la Corriveau » et « Présence de la Corriveau », dans les nos 33 (1968), 34 (1969) et 38 (1973) des *Cahiers des Dix.*

40. Jeanne Demers et Lise Gauvin, « Le conte écrit, une forme savante », *Etudes françaises*, vol. 12, no 1, avril 1976, p. 3-24.

41. Voir les *Annales de l'ACFAS,* 42, no 2, 1975, p. 45-48.

42. Dans les *Archives de folklore* : « Les écoliers de Pontoise; étude critique d'une chanson populaire », 1, 1946, p. 176-199; « La vieille magicienne », p. 82-86; « Chansons de travestis », 4, 1949, p. 87-93; « Il est pourtant temps... », p. 95-103. Dans *les Cahiers des Dix,* no 39 (1974) : « Le Général de Flipe (Phips). »

43. « Les transformations d'une chanson folklorique : du Moine tremblant au Rapide-Blanc », dans *Recherches sociographiques*, 1, 1960, p. 401-434.

plus de mener à bien la réalisation du catalogue de la chanson, Conrad Laforte a étudié les rapports entre la tradition populaire et les écrivains au XIXe siècle faisant ici encore ressortir l'étrange fascination des lettrés devant ce qui leur semble inviolé. La poésie populaire, périodiquement, prend l'apparence d'une forme idéale pour le poète déçu qui projette sur elle ses rêves [44]. Pour terminer, je signale que des textes littéraires traditionnels ont fait l'objet d'études linguistiques d'Ernest F. Haden et de James La Follette [45]. Récemment, Marcel Juneau présentait un conte traditionnel avec un soin qui imposera désormais des critères fort élevés à ceux qui éditeront des textes de littérature orale [46].

Tel se présente, dans ses grandes lignes, le projet ethnographique dans le domaine de la littérature orale. Devant la mutation culturelle du Canada français, des chercheurs ont voulu « sauver » les valeurs traditionnelles en les recueillant et en les conservant : premier temps d'une démarche dont la suite logique est l'étude des valeurs sauvées afin d'en dégager un sens profond dont pourront s'inspirer ceux qui travaillent au nouveau projet collectif. Ce retour aux sources vives accompagne partout dans le monde l'interrogation essentielle à laquelle les groupes sont un jour confrontés ; dans les périodes de doute et de désespoir, les groupes ont recours aux grands symboles et aux mythes puissants qui donnent confiance en situant la crise présente dans un contexte plus large où elle a déjà trouvé une solution symbolique. En ce sens, le projet ethnographique a contribué à la définition de l'homme d'ici. Mais l'homme d'ici n'est pas que l'homme d'autrefois. Son temps n'est pas uniquement celui de la

44. Montréal, Hurtubise, HMH, 1973, 154 p. (*les Cahiers du Québec*, coll. « Ethnologie québécoise », II).

45. Ernest F. Haden, « La petite Cendrillouse, version acadienne de Cendrillon, étude linguistique », dans *Archives de folklore*, 3, 1948, p. 21-34 ; James E. La Follette, *Etude linguistique de quatre contes folkloriques du Canada français*, Québec, Les Presses de l'Université Laval, 1969, 163 p. (Archives de folklore, no 9).

46. *La Jument qui crotte de l'argent ;* conte populaire recueilli aux Grandes-Bergeronnes (Québec), édition et étude linguistique, Québec, Les Presses de l'Université Laval, 1976, 143 p. (Langue française au Québec, 2e section : éditions commentées de textes.)

mémoire et il invente toujours des récits dont il faut tenir compte.

Le projet ethnographique sera donc attentif à cette littérature orale qui surgit partout où il y a des groupes qui se rassemblent. La veillée traditionnelle a cédé la place à la « soirée-passée-devant-la-télévision » mais il y a encore place pour les récits. La pause-café, le rassemblement de jeunes au coin de la rue, les heures de détente qui suivent la pratique d'un sport, les réunions de thérapie de groupe, les soirées dans les « brasseries » et mille autres circonstances sont le lieu du discours traditionnel où tous les genres de la littérature orale classique peuvent faire leur apparition. L'enquête devra se diriger vers ces « événements » susceptibles de se développer en fête verbale grâce à l'action du conteur qui n'est peut-être plus l'auguste vieillard à la mémoire prodigieuse auquel nous pensons instinctivement mais qui peut se cacher sous les traits d'un étudiant qui possède le don de la parole. Il amuse, éveille, provoque : il est inépuisable et ses camarades soupçonnent vaguement qu'il possède un don. Tous nous avons connu ces êtres qui vivent l'aventure de la parole et qu'a magnifiquement célébrés Pierre Perrault dans son grand *Discours sur la Parole*[47]. Où qu'ils se cachent, il faut les retrouver afin de résoudre par l'étude de leur discours l'énigme de la parole. Blague, devinette, chanson parodique, rumeur qui circule, longue « histoire » ou chanson sentimentale sont signes des attentes de l'homme concret que le projet ethnographique ne peut ignorer; ils sont aussi des formes littéraires qu'il faut comprendre. L'étude comparée servira toujours de point de départ à cette analyse de la forme littéraire traditionnelle mais les travaux scientifiques des dernières années nous ouvrent des perspectives vers une compréhension qualitative des œuvres de la littérature orale. Inutile de refaire ici la bibliographie des travaux d'analyse structurale dans le domaine de la littérature orale. Je mentionnerai l'ouvrage de Pierre et d'Elli Maranda, *Structural*

47. Pierre Perrault, « Discours sur la Parole », dans *Culture vivante*, Québec, nº 1, 1966, p. 19-36.

Analysis of Oral Tradition[48], le livre de Claude Bremond, *Logique du récit*[49], les chapitres écrits par Pierre Maranda et Claude Bremond dans *Sémiotique narrative et textuelle*[50] qui traitent spécifiquement de sujets faisant partie de notre domaine : c'est suffisant et trop peu. On aura tout de même compris que le temps est venu d'utiliser ici ces méthodes d'analyse. Par ailleurs, elles ne suppriment pas les autres approches. Ainsi, l'ouvrage de Bruno Bettelheim, *The Uses of Enchantment,* a rappelé la fécondité de l'étude de la fonction psychologique des contes merveilleux[51]. Récemment, un important article de Richard Bauman, « Verbal Art as Performance », situait l'acte d'énonciation dans l'univers de ce que je nommerais « le jeu dramatique[52] ».

Objet nouveau et méthodes nouvelles? En partie. Car la tradition populaire est une puisqu'elle trouve sa source dans l'acte de communication; par ailleurs, toutes les méthodes d'analyse ne dispensent pas de l'obligation de constituer un corpus, de l'analyser, de situer ses éléments les uns par rapport aux autres, d'établir les rapports entre ce corpus et les traditions qui en sont la source ou qui en découlent : travail classique et nécessaire. Il ouvre la voie à l'intelligence profonde de la forme littéraire.

48. Pierre Maranda et Elli Köngäs Maranda, *Structural Analysis of Oral Tradition,* Philadelphia, University of Pennsylvania Press, 1971, xxxiv-324 p.

49. Claude Bremond, *Logique du récit,* Paris, Seuil, 1973, 350 p.

50. Claude Chabrol, *Sémiotique narrative et textuelle,* Paris, Larousse, 1973, 223 p.

51. Bruno Bettelheim, *The Uses of Enchantment, The Meaning and Importance of Fairy Tales,* New York, Vintage Books, 1975, vii-328-xi p.

52. Richard Bauman, « Verbal Art as Performance », dans *American Anthropologist,* 77, nº 2, juin 1975, p. 290-311.

littérature de la Nouvelle-France

JACK WARWICK

Le Canada et l'Acadie d'avant 1763 n'ayant ni presses ni cercles littéraires reconnus ni poètes, dramaturges ou romanciers dans leur population permanente, il n'existe pas une « littérature de la Nouvelle-France » au sens ordinaire que pourraient assumer ces mots. Il existe, par contre, un corpus de textes composés sous l'ancien régime dans les régions françaises du nord du continent, ou ayant une relation étroite avec ces régions. Si on les lit encore aujourd'hui, ce n'est plus comme simple voie d'accès à l'information historique; leur importance documentaire a diminué pour les chercheurs scientifiques de notre époque, qui disposent de sources plus variées que celles de leurs prédécesseurs au XIXe siècle. Nous les lisons avant tout pour connaître ces hommes et femmes qui, habitant le même territoire que nous à une autre époque, ont pris la plume pour nous léguer quelques éléments narratifs, descriptifs ou réflexifs provoqués par la conscience d'être là. L'impulsion humaine « *To tell my story* », comme le dit avec tant d'émotion Gabrielle Roy, oblige tôt ou tard à la découverte de l'art. Le lecteur aussi doit découvrir le tour artistique que n'ont pas toujours su maîtriser les auteurs en question, mais par lequel on les rejoint. La lecture de ces écrits devient un acte de plus en plus littéraire.

La plupart des textes de la Nouvelle-France ont un air de famille, en se groupant en catégories assez cohérentes qui témoignent d'une certaine évolution. Même en l'absence des conditions normales, c'est-à-dire des moyens matériels de créer et de diffuser l'œuvre écrite au sein d'une communauté culturelle définie, ils constituent un corpus pas moins homogène que celui postulé par l'hypothèse de la littérature nationale. Il convient donc de parler des écrits de la Nouvelle-France, voire même d'une littérature de la Nouvelle-France, à la condition de bien entendre l'emploi spécifique de ces mots.

Passer outre à cette simple convention, c'est mettre tout de suite en cause notre définition de la littérature. La question mérite plus de réflexion. Elle ne sera réglée ni par l'option pour les catégories arbitraires (narratif historique n'égale pas récit esthétique) ni par un jugement purement stylistique (Champlain, n'ayant pas la rhétorique de Bossuet, ne saurait être littéraire), ni par une simple définition historique (les conditions matérielles étant absentes, ces écrits ne pouvaient pas constituer une littérature canadienne). La différence la plus fondamentale entre les écrits de la Nouvelle-France et les textes les plus admissibles comme littéraires ne réside ni dans la matière, ni dans le style, ni dans les circonstances de la composition. Car en littérature, on en connaît de toutes les sortes. Ce qui est constant, c'est que l'œuvre proprement littéraire reste elle-même centrale à l'échange qui a lieu entre auteur et lecteur. Or, à peu d'exceptions près, les écrivains de la Nouvelle-France rédigeaient leur texte pour un objet qui reste à côté de l'œuvre verbale. Très souvent, c'est un objet bien spécifique : solliciter l'appui financier des particuliers ou l'intérêt du gouvernement, défendre sa situation et justifier ses activités là-bas. Dans ces cas, c'est pour faire part à un secteur étroit du public lecteur du potentiel du Nouveau Monde, au point de vue commercial, évangélique ou autre. Dans les intentions de l'auteur, la réalité à communiquer prend le premier plan, et la tâche une fois accomplie ou écartée, le texte pourrait disparaître; c'est pourquoi plusieurs de ces textes n'étaient même pas destinés à la publication. Dans les œuvres littéraires, au contraire, de tels objets et objectifs disparaissent sans porter profondément atteinte à la survie du texte : les mœurs s'avèrent incorrigibles, reste la comédie.

Cependant, les grandes enquêtes esthétiques de notre temps font moins confiance aux intentions présumées de l'auteur d'un ouvrage de l'esprit humain. Certains vont jusqu'à soutenir la polysémie du texte indépendamment de son auteur, d'où il serait logique de conclure que ce qui fait l'œuvre littéraire, c'est la façon dont on la lit. Celui qui prend la plume pour raconter est dirigé par des niveaux de conscience dont l'ensemble est trop complexe pour que l'auteur en tienne compte tout en se consacrant à son travail. Le modèle du conte précéderait, selon les uns, à la matière contée. Que celle-ci relève de l'observation ou de l'imagination, peu importe, car entre les deux il n'y a pas de cloison étanche; bien hardi celui qui dira à quel moment Lahontan est « fidèle » et à quel moment « menteur ». Jusque dans l'observation la plus rigoureusement scientifique il y a interférence des modes de penser traditionnels; dans le cas des premiers ethnographes — c'est un exemple qui nous occupe — c'est le mythe de l'antiquité qui revient sans cesse. Parfois la réalité imite étrangement le romanesque, de sorte que le lecteur averti des brillants jeux d'esprit de Guilleragues (*Lettres portugaises*) et de Diderot (*la Religieuse*) se demande s'il n'a pas affaire à un roman épistolier, en voyant se dérouler les aventures de madame Bégon. Ainsi un texte qui a passé pour document historique peut-il être considéré comme pièce littéraire. Il est même possible que son caractère littéraire survive à sa valeur documentaire. Monuments historiques comme les châteaux-forts du Moyen-Âge qui n'ont plus de fonction militaire, les écrits publicitaires des jésuites invitent le touriste-lecteur à contempler leur architecture, à évoquer leur période de vigueur.

Lire les écrits de la Nouvelle-France pour évoquer l'ancien régime, pour connaître les hommes et les femmes de ce pays-ci à cette époque-là, c'est le plus souvent une tentative de récupération culturelle, dont le terme serait l'intégration du Québécois moderne à ses trois siècles d'histoire vécue en français. Acte littéraire qui rendrait littéraires ces textes d'origine fonctionnelle? Pour les uns, la question est superflue : qu'un texte ait un caractère littéraire, cela suffit. Pour les autres, plus scrupuleux de la pureté des genres littéraires, il faudrait établir que la Relation et le Voyage de découverte constituent des sous-genres dont on peut dégager le caractère spécifique. Le moyen terme, plus prudent ou plus flou selon votre perspective, c'est d'en faire de l'anthropologie culturelle. De toute façon, ces écrits connaissent à présent un grand renouveau, le plus souvent dans le sens d'une continuité culturelle à consolider, et le lecteur moderne ne saurait y rester indifférent.

Dans le recensement qui suit, nous avons tenu compte de tout ce qu'on a considéré, dans les différents manuels et quelques études, sous ce chapitre. Sont donc exclus tous les documents purement administratifs, même s'ils contiennent des pages qui méritent d'être lues au même titre que certains ouvrages de nature semi-officielle. Également exclues sont les chansons de la tradition orale, car la plupart remontent plus loin que le temps et lieu indiqués, et leur évolution sur ce territoire est une question qui doit être traitée à part. Il reste une cinquantaine de pièces très variées au point de vue de la longueur (des *Relations* des jésuites aux bouts-rimés de la sœur Marie-Hélène) au point de vue de l'intérêt littéraire (de Jacques Cartier à Marie de l'Incarnation il y a plus d'un pas à franchir) au point de vue du rattachement à la Nouvelle-France. Quelques auteurs ne rentrent pas dans la définition rigoureuse du sujet, comme le Père Du Creux qui ne mit jamais les pieds sur le continent américain, ou le Père Bressani qui écrivit en italien. Encore d'autres n'étaient pas publiés avant 1760, date qui sera plus ou moins respectée comme la limite de notre sujet.

Les œuvres seront réparties en cinq catégories qui sont considérées comme les genres propres à cette littérature. À l'intérieur de chaque catégorie, nous faisons la description des œuvres qui, selon nous, font le mieux voir l'intérêt littéraire de son genre.

Dans certains cas ces catégories ou genres s'enchevêtrent beaucoup, surtout les plus importants. Les récits de voyages sont en effet autant de chapitres d'histoire, dans la première période de la colonie, et les histoires, souvent, ne sont guère que des chroniques. Cependant, vu la quantité prépondérante de ces matières, il nous a semblé utile d'adopter ces divisions, certes plutôt nuancées. Nous avons supprimé, par contre, toute distinction entre poèmes et pièces de théâtre, réunis ici sous le titre « Œuvres de circonstance ». Nous espérons que ces catégories aideront le lecteur à dégager l'intérêt littéraire possible de ces textes souvent classés en fonction de leur contenu historique. Un voyage de découverte peut prendre la forme d'un récit très personnel, où transperce la progression mentale de l'auteur-voyageur. Une *Histoire* se propose de faire une synthèse qui n'est pas permise à la simple chronique, laquelle par contre met en relief le détail saillant, l'impression toute neuve. Les auteurs, certes, ne tenaient pas à respecter ces distinctions génériques qui ne peuvent pas être définitives. C'est la mesure du succès de certains auteurs qu'ils soient parvenus à faire sentir l'existence d'un genre particulier.

1. Voyages et Découvertes

Le voyage de découverte est la grande aventure du pays neuf, les récits de ces voyages constituent le genre d'écrits le plus important à tous les points de vue, et les historiens traditionnels n'ont pas eu tort de les indiquer comme un trait dominant de la culture ancestrale. Ce qui en reste aujourd'hui, c'est le souvenir héroïque et l'emploi littéraire de voyages en forêt comme cadre et symbole d'une découverte intérieure. Par ce biais, l'émerveillement survenu en temps et lieu spécifiques rejoint un motif littéraire des plus universels, tandis qu'à l'époque il accompagnait des buts pratiques (spéculation commerciale et autre) et scientifiques (cartographie, ethnographie, etc.).

Même en classant ailleurs les *Relations* annuelles (voir : Annales et Chroniques) et les descriptions qui prétendent rendre compte systématiquement d'une région neuve (voir : Histoires et Descriptions), nous retenons dans cette catégorie presque la moitié des auteurs de la Nouvelle-France. Ils peuvent varier des plus secs (Cartier, Champlain) aux plus romancés (Lahontan, Bossu). Ce qu'ils ont en commun, c'est le mélange de description, d'ethnographie, d'anecdote et de narratif soutenu.

CHAMPLAIN

Samuel Champlain est sans doute le plus important de ces narrateurs, disons-le sans tenir aucun compte de l'importance historique de ses découvertes, qui relève d'un autre domaine. Sa prose concise et nette et sa narration impassive et bien ordonnée sont, pour la littérature dont nous traitons, ce qu'est le style latin de Jules César pour les lettres classiques. Citons, à titre d'exemple, quelques phrases de ses *Voyages* de 1613 :

> Ie ne sçay quelle loy ils tiennent, & croy qu'en cela ils ressemblent à leurs voisins, qui n'en ont point du tout. Ils ne sçavent qu'adorer ny prier. Ils ont bien quelques superstitions comme les autres... Il semble à les voir qu'ils soient de bon naturel, & meilleurs que ceux du nort : mais tous à bien parler ne vallent pas grand chose.

Le lecteur moderne pourra souffrir un peu de ce jugement péremptoire ; il n'en admirera pas moins l'esprit d'ordre qui procède de la question, d'abord à la probabilité, ensuite aux faits connus, et à la concession, avant de lancer l'avertissement final dérivé de ses impressions. C'est une clarté peu commune à l'époque.

Tout Champlain est là. Dans son *Traité de la marine et du devoir d'un bon marinier,* il nous explique que pour être « un bon et parfaict navigateur », il faut « sur toute chose estre homme de bien, craignant Dieu ». À sa droiture chrétienne et morale, il ajoute une appréciation marquée de la propreté, qu'il admire surtout chez les Flamands ; elle est non seulement utile, mais encore agréable au capitaine, qui en retire une satisfaction comparable à celle de l'architecte. On voit que cet homme un peu raide n'écrivait pas seulement pour rendre compte de ses mesures de longitude et de latitude. C'est la joie esthétique de son métier qui se communique à travers sa prose ajustée aux vents tumultueux de sa carrière.

L'homme se révèle non seulement par son esthétique du fonctionnel, mais aussi, au long des différentes séries de voyages, par sa curiosité sur les différents comportements humains. Pas relativiste pour un sou, il rend compte néanmoins sans trop crier au scandale du système de mariage des Hurons, ou de sa propre défaite attribuée à la déficience d'autorité martiale chez les mêmes. Selon François-Marc Gagnon, les gravures publiées dans les différents *Voyages* seraient inspirées de dessins fournis par l'auteur; c'est pourquoi elles sont si riches en détails curieux. On y voit que cet observateur un peu distant reste toujours sensible à l'organisation et au travail humains.

Tout étudiant doit être prévenu contre les infidélités des éditions de 1632 (qui ne sont en réalité qu'une seule édition partagée entre quatre imprimeurs, pratique assez courante pour les gros volumes). Différentes hypothèses ont attribué ce volume à différents auteurs, mais nul ne doute qu'il diffère des précédents *Voyages,* ostensiblement le travail d'une seule main. On ne peut donc pas y faire confiance, et pourtant c'est l'œuvre la plus considérable signée du nom de Champlain.

L'étude rigoureusement littéraire de cet auteur reste à faire. Les différences de style et de construction narrative entre les différents *Voyages,* l'évolution de l'auteur et la reconstitution de sa vision du monde seraient d'un grand intérêt.

JACQUES CARTIER

Les problèmes textuels posés par l'œuvre de Jacques Cartier sont beaucoup plus graves, et l'intérêt littéraire moins riche. Cela, malgré l'hypothèse de Marius Barbeau, selon qui l'auteur ne serait nul autre que François Rabelais; il est plus facile de croire, encore sans aucune preuve solide, que *le Tiers Livre* de Rabelais s'inspire des *Voyages* de Cartier, ce qui prouverait, non pas le talent littéraire du grand navigateur, mais la magie permanente de tout récit de voyage. En réalité, nous ne savons pour sûr si aucun de ces textes est écrit par Cartier, mais le récit du premier voyage (effectué en 1534) semble être une re-traduction en français d'une version anglaise (Florio) d'une version italienne (Ramusio), d'un original perdu. Le texte français ne paraît qu'après 1598, soit 37 ans après la mort de l'explorateur.

Une des thèses dignes de foi suggère que Cartier n'écrivit qu'un journal de bord, et que tous les récits publiés de ses voyages sont dus à des écrivains voulant en faire un texte lisible pour des fins commerciales. *Le Brief Récit* (1545) du deuxième voyage (effectué en 1535-1536) ne mentionne qu'une fois le nom de Cartier. Nos autres versions de ce même voyage viennent de différents manuscrits retrouvés à l'époque moderne, probablement copiés d'un original perdu. Pour le troisième voyage de Cartier (1541-1542), nous ne possédons que le récit fragmentaire de Richard Hakluyt, préparé en anglais en 1600 d'après un manuscrit aujourd'hui perdu.

C'est donc le *Brief Récit et succincte narration,* qui fut conçu pour être publié et lu par un certain public français que pouvait émerveiller la description de ces contrées mystérieuses et plutôt hostiles. Son auteur anonyme se conformait à un certain goût de nature assurément littéraire mis à la mode par les voyageurs italiens et espagnols. S'il avait d'autres buts, nul aujourd'hui ne saurait les préciser. Qu'il ait emprunté directement ou imité à distance le style d'un journal de bord, il transmet au lecteur une certaine atmosphère, une certaine personnalité qui ont légué à la postérité le légendaire Malouin, découvreur du Canada.

De ces écrits, quelques phrases seulement restent dans le souvenir littéraire, à cause de leur valeur aphoristique : « la terre que Dieu donna à Caïn » rivalise avec « les quelques arpents de neige » de Voltaire, tant par la concision du mot que par la façon inexacte de le citer. D'autre part, on apprécie quelques descriptions et anecdotes, comme la première vue de Stadaconé (Québec) et la découverte de la tisane anti-scorbutique. Dans celle-ci surtout on voit le caractère rusé du chef de bord.

GABRIEL SAGARD

Il est plus ou moins convenu de regarder Gabriel Sagard comme le rapporteur naïf et honnête de son voyage personnel : ce que les autres, hélas, ne sont jamais, ayant toujours des droits à affirmer, des erreurs à cacher ou un certain parti-pris politique. S'il est vrai que les autres voyageurs sont plus éloignés de la naïveté (l'optimisme forcé des jésuites, l'édition truquée de Champlain...), il faut cependant se méfier de ce jugement en lisant l'œuvre de Sagard. L'avant-propos de son *Histoire du Canada* (voir notre section Histoires et Descriptions) fait comprendre que si, d'une part, il tenait à faire l'ingénu, il songeait beaucoup, d'autre part, à l'impression qu'il pouvait faire, à la cause qu'il fallait plaider, aux « conseils » que lui donnaient ses supérieurs. Il est fort possible que son *Grand Voyage au pays des Hurons...* ait été composé trop rapidement pour admettre ces interférences, mais il est tout aussi probable que ce soit un certain talent de conteur qui sauve les apparences. Nous avons soutenu ailleurs qu'il représente l'archétype du voyage canadien.

Pour bien comprendre cette hypothèse, il faut admettre les trois éléments suivants comme essentiels à un modèle transformationnel commun à un nombre considérable de voyages situés en des œuvres très différentes : 1) profil d'une montée tâtonnante suivie d'un moment de satisfaction et d'une descente rapide; 2) révélation difficile d'ordre psychologique ou moral qui met en branle l'ordre accepté (celui-ci variant selon les auteurs) ; 3) décor qui rapproche de la nature sauvage. Dans le cas du *Grand Voyage,* c'est le voyage en canot d'écorce, riche en détails topographiques et en observation des mœurs et techniques des sauvages compagnons de route, c'est la révélation d'un certain relativisme moral obligatoire pour le porteur de la vérité absolue, et la déception due au départ imposé par les autorités. Tout cela semble venir d'un seul jet, quoi qu'il se perde souvent dans une tentative de description systématique du monde huron. Celle-ci constitue, du reste, un des essais ethnographiques les plus riches et pénétrants de cette époque des pionniers, avec de nombreuses observations originales des flore et faune. Plus important, à notre point de vue, le sauvage est souvent représenté comme moralement supérieur au civilisé, et fournit ainsi une des sources du mythe littéraire du bon sauvage.

AUTRES VOYAGES

Louis-Armand Lom d'Arce, baron de Lahontan nous laisse les *Voyages* les plus célèbres de tout ce genre. C'est à cause du mélange audacieux de pure invention au récit de voyages apparemment réels. Le « Dialogue curieux entre l'auteur et un sauvage de bon sens », contenu dans le troisième volume, fait émerger Adario, le type pleinement réalisé du bon sauvage, capable de critiquer ouvertement la société sur laquelle régnait encore le roi-soleil. On connaît l'illustre postérité, en littérature française, de cette forme de satire, qui toutefois n'a pas de suites en littérature canadienne-française. Ici, l'esprit de contestation lié à l'image de la vie sauvage devait émerger bien lentement et plus discrètement dans une littérature des pays d'en haut où les Amérindiens ne tiennent pas de conversations de salon. La filiation littéraire de Lahontan semble donc plus française que canadienne, dans la mesure où ces distinctions peuvent avoir un sens. C'est le troisième volume des *Nouveaux Voyages,* d'ailleurs, dont l'authenticité est le plus contestée. Les autres parties de ce récit sont plus conformes à notre catégorie, ce qui n'exclut pas l'immixtion d'invention et d'ouï-dire.

Pierre-Esprit Radisson composa entre 1668 et 1669 un récit de voyages dont on n'a retrouvé qu'une traduction anglaise de 1669. L'immixtion de fiction est assez forte, et conçue pour persuader les nouveaux patrons de cet entrepreneur français de subventionner de nouvelles expéditions. L'invention circonstanciée constitue une modalité narrative à analyser, et occupe une place très importante dans cette littérature de beaux menteurs qui viennent de loin.

Le Père récollet (Jean-)Louis-(Antoine) Hennepin (1640-1705), un des compagnons de Cavelier de la Salle, était fort embrouillé dans les polémiques de son temps. Il n'hésitait pas à mélanger la description des régions exotiques, le plagiat, le récit personnel et le parti-pris. C'est encore un témoignage de la littérature de voyage au service d'une cause.

Les *Nouveaux Voyages dans l'Amérique septentrionale* (1777), de Bossu, s'ils sortent des strictes limites de notre propos, appartiennent visiblement à cette tradition littéraire. Cet auteur hâbleur et plagiaire (selon Viatte) cherchait à instruire et plaire, et nous offre une fable prétendue sauvage, « traduite » à la manière de La Fontaine (citée par Viatte, *HLAF*, p. 30). Ici le souci littéraire est visible, ce qui affaiblit sa vraisemblance tout en confirmant l'aspect littéraire de ce genre d'écriture.

Le voyage de Saint-Luc de la Corne (1761?), par contre, n'a rien de commun avec la tradition des découvertes; son intérêt littéraire vient principalement de l'emploi qu'en a fait Philippe Aubert de Gaspé, père.

De nombreux récits de voyage attendent encore l'étude attentive qui révélerait leur valeur littéraire, sans doute marginale dans la plupart des cas. On a vu que c'est un genre d'où l'art de la fiction n'est pas exclu. Au lieu de regarder celle-ci comme des mensonges à écarter, il faut aborder la question de sa créativité propre, abstraction faite, pour ces fins, de sa valeur purement historique.

2. Histoires et Descriptions du pays

Plusieurs auteurs voulurent augmenter le récit de leur propre voyage, en l'intégrant à un recueil de toutes les connaissances accumulées sur le pays qu'ils avaient vu. C'est le premier pas vers l'histoire systématique. Au XVIIIe siècle on voit des histoires beaucoup moins marquées par cette facture primitive, quoique toujours éloignées de l'histoire vraiment générale. Le lecteur moderne devra donc corriger sa réaction au titre « Histoire » donnée à ce qui est le plus souvent limité aux témoignages d'un seul groupe. La tentative existe, cependant, de faire une synthèse dépassant le simple récit de voyage. Vers la fin du régime, surtout, on voit des descriptions qui abandonnent la formule du récit pour chercher d'autres lignes de force comme le survol des régions.

LESCARBOT

La première en date de ces œuvres est l'*Histoire de la Nouvelle-France* par Marc Lescarbot. De 1609 à 1618 elle connut cinq éditions ou réimpressions (sans compter les traductions) qui confirment autant la ténacité de son auteur que la vogue du Nouveau Monde.

Lescarbot aimait écrire (voir aussi notre section sur les Œuvres de circonstance) ; il aimait aussi faire du style et amuser le lecteur. Son érudition d'avocat humaniste, ses fantaisies de toutes sortes et ses jeux d'esprit pas toujours réussis en témoignent amplement. Il avait aussi des motifs plus précis. L'échec des deux tentatives de colonisation en Acadie était dû en grande mesure à l'ingérence des autorités qui avaient révoqué en 1607 le privilège accordé à l'expédition de 1606. Marc Lescarbot crie au scandale, veut rehausser l'image de cette Nouvelle-France qu'il est allé voir un peu par désœuvrement et curiosité.

L'*Histoire* reproduit les textes des voyages déjà connus, comparés, collationnés et corrigés en quelques endroits. Ce n'est qu'à la quatrième partie que Lescarbot raconte les événements de Port-Royal, d'abord en 1604 (se fiant donc aux rapports de ses amis) et ensuite en 1606-1607 (d'après son propre témoignage). Dans les éditions augmentées, une cinquième partie ajoute les voyages de Champlain de 1608 à 1613, et l'expédition des Biencourt, de 1610 à 1615.

Deux importants thèmes littéraires qui auront de la postérité parcourent cette narration, s'intégrant à l'observation de l'auteur. Le retour à la terre, qui rend les gens simples et vertueux, aurait commencé assez rapidement à faire voir ses merveilleux effets parmi les Français en Acadie. Chez les sauvages, Lescarbot voyait des ressemblances aux anciens Lacédémoniens : l'absence de la propriété, et un bonheur paisible. Lescarbot prétendait apprécier aussi les arts indigènes; c'est un don rare à l'époque, et on n'en voit pas la moindre trace dans son *Théâtre de Neptune*. Il constate aussi la cruauté et l'absence de raffinements. Si les sauvages sont arriérés, ils n'en sont pas moins humains; c'est l'absence du fer et d'une langue capable d'expliquer les vérités chrétiennes qui les ont retenus. On voit donc tout un réseau de thèmes autour de celui de la colonisation.

SAGARD ET LES RÉCOLLETS

C'est encore Gabriel Sagard qui arriva à publier le premier volume intitulé *Histoire du Canada*. Plusieurs lecteurs se sont rebutés devant ce livre long et touffu, croyant n'avoir affaire qu'à une version revue et augmentée du *Grand Voyage*. Il est vrai qu'une partie de l'*Histoire* reprend le voyage personnel de l'auteur; la comparaison exhaustive des deux versions reste à faire, mais on préfère généralement la fraîcheur du *Grand Voyage*. Une autre partie raconte en détails minutieux les infortunes des différents récollets obligés de quitter Québec en 1629. Si elles donnent un riche tableau des conditions de la vie à l'époque, ces histoires de pirates, de naufrages et de randonnées par différents pays ne retrouvent pas la qualité narrative des romans picaresques traitant de matières similaires.

Dans sa deuxième œuvre, Sagard approfondit et défend son portrait du sauvage vertueux mais sale. Fort sans doute des renseignements supplémentaires offerts par ses collègues réunis en France par les circonstances, il nous lègue le traité d'ethnographie souvent jugé le plus important dans les débuts de cette science. Mais le bon sauvage décrit par Sagard a aussi ses origines dans le souci polémique de l'auteur, et dans le néo-stoïcisme qui lui dictait une certaine vue des vertus de l'antiquité païenne. Au point de vue de l'histoire des idées, c'est donc une œuvre de la dernière importance.

Une forte proportion de l'*Histoire du Canada* est consacrée aux récollets qui avaient précédé Sagard au pays, et l'auteur reproduit *in extenso* leurs relations et lettres manuscrites (également reproduites, plus tard, par Chrestien LeClercq). La lettre du Père Denis Jamet (1620) est le prototype du rêve agriculturiste; on s'enferme dans un couvent à cultiver une nature devenue, de ce coup, prospère et idyllique. La relation du Père Joseph de la Roche Daillon (1627), au contraire, est un exemple en miniature du laxisme moral qui accompagne l'aventure en forêt. Deux relations du Père Joseph Le Caron (1618 et 1624) révèlent le pessimisme qui devait accompagner tous les missionnaires pris entre des Français et des sauvages, plus épris du commerce que de l'évangélisation.

La qualité polémique de cette *Histoire* se trouve surtout dans le récit patient et détaillé des événements servant à justifier les récollets ou, plus discrètement, à indiquer les faiblesses des autorités qui avaient choisi ces religieux comme bouc-émissaire pour excuser leur peu de succès. Mais il y a aussi des pages qui exagèrent nettement le caractère des sauvages pour critiquer les institutions françaises, notamment dans la prétendue analyse du gouvernement des Hurons. Ici Sagard préfigure nettement Lahontan et les philosophes, sans quitter l'aire plus typiquement canadienne.

Après Sagard, la polémique devient plus acerbe. Les récollets exclus du Canada font des mémoires pour accuser leurs persécuteurs sans pouvoir les nommer ouvertement. Cette dispute devient, par la force des choses, interne à la France, et nous ne l'avons pas retenue en entier. Elle a cependant des conséquences qu'il faut mentionner ici. Chrestien LeClercq, qui participa au renouveau de la mission des récollets (1670), écrivit non seulement sa propre *Relation de la Gaspésie,* mais aussi une histoire intitulée l'*Établissement de la foy en Nouvelle-France.* On a attribué au Père Sixte Le Tac une *Histoire chronologique de la Nouvelle-France* qui accentue la vitupération.

LES JÉSUITES

La querelle des récollets retombe à certains moments (mais, soulignons, pas à tout moment) sur les missionnaires jésuites. Les écrits principaux de ceux-ci (que nous avons classés avec les Chroniques) peuvent témoigner d'un aspect de cette querelle, en affichant le rapport direct entre la présence des jésuites et le nouvel ordre colonial souhaité par Richelieu. Les Pères Bressani et Charlevoix écrivirent, respectivement, une apologie de la mission jésuite (en italien) et une *Histoire... de la Nouvelle-France* où les jésuites occupent le premier plan; ici Charlevoix résume les *Relations* de son Ordre, pour faire tomber ailleurs le blâme du peu de succès de l'évangélisation.

Le mérite principal de *l'Histoire* de Charlevoix, c'est d'avoir imposé un ordre à l'amas de récits épars qu'était, jusque-là, l'historiographie de la Nouvelle-France. Aux événements qu'il rapporte, Charlevoix cherche des causes, surtout de portée morale : les bons et les méchants, les vices et les vertus expliquent la situation économique et démographique de la colonie. Cette interprétation, aujourd'hui archaïque, établit pour très longtemps les idées reçues, qui marquent plusieurs générations d'écrivains canadiens-français. Un critique récent a même trouvé que c'est précisément ce sens du théâtral qui donne à *l'Histoire...* la forme qui la fait désormais considérer comme littéraire.

Le Père Charlevoix collationna aussi les observations éparses sur les « Canadiens », au sens neuf de ce vocable. Le fameux esprit d'indépendance trouve ainsi sa place dans un caractère national en germe. Son *Journal historique,* ajouté à *l'Histoire...,* est une série de lettres sur le voyage personnel au Canada de ce prodigieux voyageur et auteur.

Le Père jésuite Joseph-François Lafitau est connu surtout pour sa contribution au courant d'idées des philosophes français. Comme le Baron de Lahontan mais avec le prestige d'un missionnaire authentique, il fait un grand pas dans l'évolution du mythe du bon sauvage, portant jusqu'au bord du scandale une thèse d'où le péché originel est pratiquement exclu. Dans la perspective des Histoires inspirées par la Nouvelle-France, son importance est d'être passé des premiers tâtonnements anthropologiques à la formulation d'une hypothèse sur l'origine des mœurs.

AUTRES HISTORIENS

Parmi les autres auteurs d'histoires et descriptions il sera utile d'indiquer sommairement quelques exemples spéciaux. Nicolas Perrot, coureur de bois rentré au bercail, entreprit de donner à l'intendant Michel Bégon une description simple et directe des sauvages des pays d'en haut ; il reste aussi des fragments de ses voyages, retenus par Le Roy de la Potherie dans son *Histoire de l'Amérique septentrionale*. Ce dernier donne des descriptions des pionniers du début du XVIIIe siècle. On voit que l'histoire connaît une certaine évolution. Depuis les récits mal coordonnés du début, on passe par l'étape des descriptions frustes d'un pays qui n'a plus rien d'exotique pour un Pierre Boucher ou un François Dollier de Casson, vers la fin du XVIIe siècle. Au XVIIIe siècle ce sont des synthèses plus réfléchies comme l'*Idée générale du Canada* où Gaspard Boucault procède par régions. Le Suédois, Pehr Kalm, au contraire, joua si bien le rôle de visiteur perspicace que son témoignage reste indispensable pour les études culturelles de l'ancien régime.

3. Annales et Chroniques

Les *Relations* annuelles des jésuites éclipsent, évidemment, les autres écrits de ce genre. Il convient toutefois de rappeler à l'étudiant que les annales de l'Hôtel-Dieu de Québec et celles de l'Hôtel-Dieu de Montréal sont conservées pour des périodes assez prolongées. Elles contiennent des pages signées ou attribuables à un auteur connu, susceptibles donc de révéler une personnalité. On a comparé Marie Morin (de Montréal) à Marie de l'Incarnation. Il est indispensable de tenir également compte des relations dispersées dans différentes *Histoires* (voir surtout Sagard et LeClercq, qui reproduisent différentes lettres de leurs confrères).

Les monumentales *Relations* des jésuites sont connues surtout par l'édition — également monumentale — de Reuben Gold Thwaites, avec version anglaise, notes, références et présentations ; cet apparat critique est bien de son temps (1896-1901). Or, il faut bien comprendre le titre choisi par Thwaites, qui est *The Jesuit Relations* and Allied Documents (c'est nous qui soulignons) : qu'est-ce qu'une relation? Pour les fins de l'histoire événementielle ou de l'hagiographie, la question ne se pose même pas, et les documents annexes se confondent volontiers avec le reste. Mais de notre point de vue, il faudrait en exclure plusieurs : celui qui prend la plume pour écrire « Relation de ce qui s'est passé en l'an x » n'est pas dans le même cas que celui qui rédige une lettre en latin à son général. Car le premier a conscience de s'insérer dans une série publiée, donc adressée à un public lecteur. La série de *Relations* destinée à cette fin commence en 1632, à Québec, mais elle fut précédée par une suite de lettres concernant l'Acadie, et le Canada d'avant 1629. Quelques-unes de ces lettres se publièrent avant le lancement de la série qui parut régulièrement chez Sébastien Cramoisy (actionnaire de la Compagnie des Cent Associés). Il est donc assez courant de regarder les relations de 1611 (par Pierre Biard, publiées en volume en 1616) et de 1626 (par Charles Lallemant, publiées dans le *Mercure français,* t. 13) comme faisant partie de la série. Ainsi fit Augustin Côté dans son édition de 1858. Quoi qu'il en soit, ces deux œuvres restent indispensables à la connaissance complète de la série, comme aussi la lettre de Biard (1616) retenue par Thwaites, mais omise par Côté.

La *Relation* de 1611, par Pierre Biard, contient trente-huit chapitres et un index; celle de 1626 est une lettre adressée par Charles Lallemant à son frère Jérôme, mais vite oubliée. Ces précisions indiquent parfaitement la portée de la série qui suivra : d'une part, traité et description du Nouveau Monde, d'autre part, appel direct à la sympathie du lecteur, celui-ci situé sur le plan semi-personnel ou pseudo-personnel. Sous ce dernier trait, la comparaison ne s'évite pas avec la réclame commerciale moderne qui voudrait vous persuader que telle compagnie s'occupe de vos besoins à la mesure de votre budget; n'exagérons pas, mais rappelons que nous sommes à l'époque des débuts de l'œuvre publicitaire, et que l'éducation jésuite a déjà entrepris d'apporter la haute vulgarisation à la haute bourgeoisie. Il faut apprécier la modernité de ces tentatives, pour comprendre leurs conséquences esthétiques, qu'il conviendra d'appeler littérature appliquée (« engagée » ayant déjà pris une autre coloration). Le Père Biard, au contraire, donne des descriptions claires et bien ordonnées de l'Acadie et des aventures de la mission, servant à consolider pour les besoins futurs les connaissances déjà acquises, tant des indigènes que des périls divers de l'entreprise. Notre idée du plagiat ayant peu d'importance, si encore elle existait à l'époque, tous les écrivains de relations, de voyages et d'histoires se sont librement servis des travaux de leurs prédécesseurs et rivaux. On remontera donc nécessairement aux relations de Pierre Biard pour suivre l'adoption et l'évolution de certaines impressions, comme ce qu'il dit du gouvernement des petites communautés.

C'est à Paul LeJeune que l'accord commun décerne l'honneur d'avoir lancé la série régulière des *Relations*, soutenue jusqu'à la fin du XVIIIe siècle, ou peu s'en faut. En 1632 il semble partir de zéro : on peut dire qu'il marquait ainsi tout l'esprit de renouveau qu'avait insufflé Richelieu aux affaires coloniales. Cette posture n'est pas tout à fait forcée : il en est à sa première visite, responsable de la mission, et il est professeur de rhétorique. Il écrit d'ailleurs tout de suite pour signer « du milieu d'un bois de plus de 800 lieues d'estendue, à Kebec, ce 28 d'Aoust 1632 », soit cinq mois après son embarquement à Dieppe. C'est au cours des relations subséquentes que le lecteur averti (profitant de la brillante analyse faite par Guy Laflèche dans son édition de celle de 1634) pourra sonder le pessimisme croissant au contact de la réalité, le besoin de réconcilier celui-ci avec l'optimisme officiel, et les conséquences psychologiques et littéraires de cette tension.

Dans le cas analogue de Jean de Brébeuf, on peut consulter des documents plus confidentiels étudiés par F. X. Talbot dans sa biographie, *Saint among the Hurons*. Ceux-ci révèlent des rêves hallucinatoires où l'agression sexuelle des Huronnes se mêle au conflit de civilisations. Revenir des études biographiques aux *Relations*, c'est dégager leurs nuances sous-jacentes, approfondir le sens de ce genre d'écriture. Dans le cas des débuts de la série, il faut également tenir compte de la contrainte morale imposée par la situation particulière des missionnaires, obligés de collaborer à l'œuvre coloniale et mercantile de Richelieu et de Jean de Lauson. Ceux-ci avaient voulu établir une mission de capucins au Canada, et s'étaient résignés à accepter les jésuites tout en écartant les récollets, qui se trouvèrent littéralement abandonnés sur le quai de Dieppe en mars 1632, indignés de voir leur place et sans doute leur propriété investies par leur amis de la veille. Les jésuites avaient besoin de se justifier au public et à eux-mêmes, devant un travail évangélisateur des plus ingrats. Pour bien lire les célèbres *Relations,* il faut des études bien plus pénétrantes que celles qu'a provoquées l'admiration pieuse du siècle passé.

L'apport des travaux existants n'est pas entièrement négligeable, surtout sur le plan de l'histoire événementielle, et les soixante-treize volumes de Thwaites serviront encore longtemps. Le dernier document de la collection, datée de 1791, fait allusion au Père Casot « qu'il faut regarder comme le seul Jésuite vivant ». Le dernier grand moment, selon notre perspective, est la relation attribuée à Pierre Roubaud, missionnaire dans l'ouest, écœuré et impuissant devant la cruauté de ses ouailles, une tribu des Outaouais. C'est une indication de l'étendue des *Relations des jésuites.*

Mais ce n'est pas encore tout. On a retrouvé encore des *Journaux* des pères jésuites, et le *Journal de Trévoux* continua de publier, parmi bien d'autres matières, des communications venues de la Nouvelle-France.

4. Lettres et Journaux intimes

Sous cette rubrique on peut inclure toute correspondance de caractère personnel, pas destinée à l'histoire officielle. Mais comme révélation vraiment intime, où l'histoire événementielle ne soit qu'accessoire, il n'y a que deux noms. Marie de l'Incarnation et Elisabeth Bégon suscitent, naturellement, la comparaison avec Madame de Sévigné et les mémorialistes français qui étaient leurs contemporains, un peu comme on voulait comparer Marie-Claire Blais avec Françoise Sagan qui, elle aussi, avait publié un roman avant d'avoir atteint sa majorité légale.

De ces comparaisons superficielles que reste-t-il ? D'abord, que bien peu de gens écrivent des lettres valant la peine d'être lues pour elles-mêmes. Pas plus en France, toutes proportions gardées, qu'en Nouvelle-France ; c'est pourquoi on a si peu de cas comparables. Ensuite, que pour certaines personnes, les lettres aux enfants sont à la fois le moyen d'expression et le lien sentimental suprêmes. Madame de Sévigné et Madame Martin s'entendent mieux, avec leurs enfants respectifs, à distance, se retrouvent le mieux dans le monde créé par l'acte de penser au cher absent. Ce monde n'est pas créé de toutes pièces, faut-il ajouter pour éviter tout malentendu : au contraire, ses éléments les plus importants sont fournis par la vie sociale commune à l'auteur et au destinataire, surtout dans le cas de Madame Bégon. À ces caractéristiques communes, on ajoute que par la nature même de la correspondance intime, les différences personnelles sont très marquées. Au surplus, on sait que dans la haute bourgeoisie et la noblesse de France, on écrivait des lettres pour être lues à haute voix dans un salon. Dans ces conditions, le genre se rapproche de la publication et de la conversation. Marie de l'Incarnation pouvait penser à l'édification qu'apporterait à certains cercles dévots la lecture de ses témoignages du pays sauvage ; c'est ce qui donne parfois un ton « littéraire » à ses écrits le plus souvent, convient-on, spontanés. Elle reste cependant loin des cercles mondains visés par Madame de Sévigné. Quant à Madame Bégon, il n'y en est pas question ; le « cher fils » n'allait guère révéler toute la tendresse de sa belle-mère.

ÉLISABETH BÉGON

L'absence du souci de « faire de la littérature » à l'intention des salons élégants explique sans doute pourquoi les biographes de Madame Bégon font l'apologie de son style peu littéraire, voire de son peu de valeur littéraire. C'est imposer à la littérature un caractère trop étroit. « Te dire que je suis là » résume toute la volonté de cette épistolière, mais elle l'a dit de telle façon qu'elle arrive à nous faire sentir encore sa vivante personnalité, sa tendresse, sa rancune, ses espoirs, ses déceptions, les tensions du foyer et de la haute bourgeoisie montréalaise. Nous apercevons tout un monde colonial n'arrivant plus à resserrer les liens familiaux dans le vaste espace qu'il occupait entre la France, le Canada et cette affreuse Louisiane où restait le maladroit objet de l'affection de la veuve montréalaise.

Quel canevas de roman! Ce n'est pas un roman qu'elle en a fait, mais il s'en faut de peu. Les mystères qui se déroulent lentement, les aveux involontaires, les leitmotive symboliques, l'évolution de l'héroïne devant la réalité, tout cela nous ramène directement à l'art du roman raconté à la première personne, et s'impose, le mot n'est pas trop fort, à ceux qui veulent faire l'étude spécialisée de ce genre littéraire. Il faut voir, par exemple, le rôle et le caractère de « notre enfant » (la fille du destinataire, élevée par sa grand-mère l'épistolière dont la fille jamais mentionnée est morte avant le début de la correspondance). Le stratagème n'est que trop visible au lecteur, qui apprécie la forte ironie d'un Mauriac, d'un Gide. Car l'enfant est terriblement gâtée pour que sa grand-mère puisse rapporter tous les bons mots propres à rattacher le père; et plus tard, c'est Madame Bégon qui accuse les parents français de l'avoir gâtée.

Le prochain départ de son protecteur, La Galissonnière, va accentuer la faiblesse de la situation sociale de cette veuve d'officier. Madame Bégon formule des réflexions désabusées sur la société, allant de l'aphorisme parfois digne de La Bruyère à un ton vindicatif qu'elle réussit un peu mieux. Elle se console à la pensée de quitter bientôt ce monde où la vie devient impossible sans son ancien statut de femme du gouverneur de Trois-Rivières. La joie d'arriver en France fera rapidement place à une hargne sans fin : « il paraît que... je ne suis qu'une Iroquoise. » Elle devient le type de la nord-américaine inadaptable, débarquée en Europe pour tout critiquer et se faire critiquer. Elle finira par perdre l'enfant, tandis que le gendre bien-aimé ne s'empresse pas de la rejoindre. L'humeur acariâtre se prononce, et le lecteur se trouve à la triste fin d'un enchaînement social et psychologique comme celui d'un bon roman. C'est l'état civil qui se venge de Balzac.

Pour qu'elle devienne vraiment un roman, il faudrait surtout à cette correspondance une exposition plus claire de l'identité des personnages secondaires et des circonstances historiques. Le lecteur est obligé de les chercher ailleurs, soit dans le petit volume de Céline Dupré, soit dans la thèse d'Isabel Landels. Quant au langage, s'il laisse subsister quelques obscurités, il n'en conserve pas moins l'atmosphère d'époque.

MARIE DE L'INCARNATION

« Avec Marie de l'Incarnation... nous atteignons les plus hauts sommets de la mystique... qu'il nous est possible d'explorer dans un livre comme [*l'Histoire littéraire du sentiment religieux en France*] », dit Henri Brémond. Mais comme c'est le cas de plusieurs mystiques, la grande ursuline était aussi une femme d'affaires remarquable, ce qui confère à ces écrits des capacités de description et de narration qui ont mieux retenu l'attention d'autres lecteurs. Son commentaire sur les grands événements de la colonie et de son couvent sait accorder la logique et l'animation, pour nous transmettre plusieurs épisodes avec une clarté exceptionnelle. Tout est ramené à la foi inébranlable qui avait déjà permis à cette jeune veuve d'abandonner à la divine Providence l'enfant qui resta toute sa vie en correspondance avec elle. Il lui échappe des phrases qui sentent déjà le cliché : les sauvages sont des enfants naïfs, on écoute plus volontiers leurs admirables candeurs que les paroles d'un grand prédicateur. Mais elle sait trouver un ton plus humain, une expression plus souple : Groiseliers, Tourain comme elle, vient-il raconter ses fortunes au service de l'Angleterre, elle se montre compréhensive mais en ajoutant un brin de malice : « Il y faisait l'homme d'esprit, comme en effet il en a beaucoup. »

De la vaste correspondance de Marie de l'Incarnation, il ne reste que les deux-cent-vingt-et-une lettres conservées et améliorées par son fils. Il nous reste aussi, de la littérature pieuse de l'époque, des écrits de Marguerite Bourgeoys et les Annales mentionnées ailleurs.

MONTCALM ET LÉVIS

On a conservé et publié les lettres et journaux de ces deux commandants militaires. Les journaux de campagne n'intéresseront sans doute que les spécialistes en histoire militaire. Les lettres par contre revêtent souvent un caractère plus personnel. Lévis adapte admirablement son style à chaque correspondant, ce qui permet au lecteur de sentir la texture de leurs relations. À Montcalm, un ton direct, ouvert et plaisant, sans devenir trop bonhomme; à Murray, une élégance et une délicatesse parfaitement dignes des circonstances; à Bigot, un soupçon du fanfaron. Ce qui manque à cette correspondance de militaires, c'est le ton belliqueux des petites religieuses qui faisaient des rimes de circonstance en ce moment. Un petit recueil bien présenté fournirait des exercices de style admirables, tout en faisant connaître le raffinement qui, lui aussi, fait partie du patrimoine culturel.

5. Œuvres de circonstance

Au premier abord, les œuvres de circonstance semblent se classer tout de suite en deux groupes, les frivoles et les solennelles. C'est les vers de Lescarbot et la réception dramatique du Gouverneur d'Argenson qui évitent ces deux extrémités. Il serait cependant téméraire d'affirmer que la Nouvelle-France bénéficiait de tout un flot de paroles prononcées pour commenter les grands moments dans sa vie. Il nous en reste trop peu par écrit.

L'oraison funèbre est un genre assez négligé aujourd'hui, et on les consultera pour connaître le contexte culturel d'une certaine époque, plutôt que pour les rapprocher des genres littéraires qui nous sont plus familiers. Cette approche est d'autant plus limitée que nous n'en possédons que ceux de Goyer et de la Colombière, concernant Frontenac et Laval, et appartenant à la période Bossuet (mort en 1704).

Les Muses de la Nouvelle-France est le recueil le plus important à tous les points de vue, car Marc Lescarbot dépasse le niveau habituel des poèmes de circonstance pour y insuffler le mythe édénique et des descriptions de flore et faune propres aux voyages de découverte. Dans son « Adieu à la Nouvelle-France » il semble vraiment exprimer une nostalgie lyrique pour ce paradis tôt perdu. Mais ses vers souvent artificiels ou prosaïques n'augmentent pas le sens du merveilleux. Dans « La défaite des sauvages armouchiquois » il ne trouve pas tout à fait, non plus, le registre épique. Lescarbot excelle dans les vers ingénieux, proches souvent de la parodie, où nous pouvons admirer le triomphe de la plaisanterie érudite sur des circonstances peu propices à l'optimisme. Il avait sûrement le goût d'écrire, mais aussi des buts pratiques : appuyer l'autorité des chefs d'expédition et le sentiment colonisateur, remonter le moral de ses compagnons, et faire valoir une tentative échouée.

« Le théâtre de Neptune », contenu dans ce recueil, est remarquable par son aplomb, et on aime évoquer cette poignée de braves Français reproduisant, sur les bords inhospitaliers du continent sauvage, un cérémonial de cour où prédominent trompettes, canons et harangues pompeuses. Les dieux de l'antiquité côtoient la couleur locale des sauvages et des produits du pays offerts au lieutenant-gouverneur Biencourt de Poutrincourt. La fantaisie s'intègre à la réalité du moment historique, selon une forme de cérémonial déjà connue.

Ces 243 vers de Lescarbot ont fait penser à 350 ans de vie théâtrale au Canada. En effet, on connaît par écrit une autre réception dramatique analogue à celle de Lescarbot. D'auteur inconnu, la *Réception de Mgr d'Argenson* (1658) fait prononcer une suite de harangues par une figure allégorique et par les pittoresques représentants des différents peuples du pays (dont quelques-uns en leur propre langue). Il ne faudrait pas chercher dans cette prose cérémoniale la fidèle expression du point de vue des sauvages, mais l'auteur a su y intégrer quelques éléments de réalisme historique.

Un ton totalement différent caractérise les chansons composées durant la campagne canadienne de la guerre des Sept Ans. Pour commémorer la victoire de Carillon, un officier anonyme adresse des strophes ironiques aux soldats anglais :

Messieurs, quand nous avons appris
Vos pompeuses approches
Il est vrai, nous n'avons pas pris
De flambeaux ni de torches;
Mais pour bien mieux vous honorer
D'abord nous avons fait sonner
Le carillon (bis) de la Nouvelle-France.

Le calembour du dernier vers est soutenu avec une certaine variété dans chaque strophe.

La sœur Marie-Hélène ne montre pas moins de supériorité martiale :

L'Anglais cherche des lauriers,
Autant en font nos guerriers,
Voilà la ressemblance;
Les Français en font amas,
L'Anglais n'en moissonne pas,
Voilà la différence.

À comparer cette chanson à l'originale (citée par F.A.H. LaRue), on voit l'absence de la malice nécessaire à qui voudrait faire de l'esprit :

Nous avons deux généraux
Qui tous deux sont maréchaux,
Voilà la ressemblance;
L'un de Mars est le favori
Et l'autre l'est de Louis,
Voilà la différence.

Ces poésies de circonstance auront plus de suites dans la période suivante qu'elles n'ont eu d'antécédents sous le régime français. On n'a pas retrouvé suffisamment d'exemples écrits pour savoir si le changement de manière est le résultat d'une évolution naturelle, mais il est permis de supposer que la guerre apporta, avec les régiments, une nouvelle influence française.

classiques canadiens 1760-1960

LAURENT MAILHOT

Il existe évidemment plusieurs bibliothèques idéales de la littérature canadienne-française ou québécoise : celles de l'ignorant, du savant, de l'amateur (sombre ou éclairé), du défricheur, du bel indifférent, de l'engagé volontaire, du conscrit, du déserteur, de l'étranger. Sans compter les âges et les sexes, les états et les moments. Il y a les bibliothèques idéales officielles, adultes, complètes, bien rangées, et les bibliothèques idéales clandestines, partielles, rongées, passionnées.

La bibliothèque idéale doit-elle être dite imaginaire, absente, abstraite, utopique, idéaliste ? Elle est la seule réelle, la seule vraie. Toutes les autres en dépendent. On achète parce que l'on désire, on classe pour mieux voir les vides, les trous, les rayons et les ombres. Les faibles *Réminiscences* d'Arthur Buies ne sauraient remplacer ses Mémoires, inexistants et pourtant nécessaires. Il faut imaginer la suite des œuvres (et de la vie) d'Aubert de Gaspé fils. Il nous manquera toujours les lettres ou le journal d'exil de Dessaulles. Nous récrivons (et réentendons) les lourds discours de Papineau. Nous voudrions d'autres contes philosophiques de Napoléon Aubin, d'autres comédies de mœurs de Petitclair, d'autres poèmes de la famille Garneau [1], de nouvelles critiques et chroniques d'Hector Fabre, de Jules Fournier, d'Olivar Asselin. Par contre, nous sommes débordés par les sermons, les catéchismes, les feuilletons, les proses « où les vers se sont mis », les concours de collège et autres *juvenilia,* les procès-verbaux de l'École littéraire de Montréal...

LES GRANDES FAMILLES DANS L'ÎLE DÉSERTE

À la fin de *Jean Rivard* (*Économiste*), l'auteur fait visiter au narrateur la maison du héros, où une chambre sert de bureau, et une armoire (« qui couvrait tout un pan de la muraille ») de bibliothèque. Le cultivateur-maire-député possède quatre ou cinq cents volumes. On n'insiste pas trop sur la religion (« une excellente édition de la Bible, et quelques ouvrages choisis... », ni sur les classiques grecs, latins, français; « une trentaine d'ouvrages d'histoire et de politique » internationales, c'est plus inattendu; des traités scientifiques et techniques, particulièrement « sur la chimie agricole, les engrais, les dessèchements, l'élevage des animaux, le jardinage, les arbres fruitiers, etc. ». Enfin, quelques encyclopédies, dictionnaires, ouvrages de droit, « et les statuts du Canada que Jean Rivard recevait en sa qualité de juge de paix ». Aucune œuvre frivole ou moderne. Ce genre de littérature (d'imagination, d'émotion, de distraction) ne saurait convenir qu'« à certaines classes de lecteurs blasés ». À côté de sa bibliothèque utilitaire, Jean Rivard a cependant conservé, « seuls, à part, dans un coin », quatre livres « vieillis et usés » : *Robinson*

1. Qui comprend, on le sait, par descendance directe ou cousinage immédiat, les poètes François-Xavier, Alfred et Saint-Denys Garneau, Simone Routier, Anne Hébert. A côté de cet arbre généalogique, Alain Grandbois et sa sœur Madeleine font figure d'orphelins; Claude-Henri Grignon, malgré ses pseudonymes, son oncle (Vieux Doc) et sa cousine (Germaine Guèvremont), fait petite famille, de même que le clan Ferron-Cliche. Ne parlons pas des filles d'Etienne Parent, mariées à Antoine Gérin-Lajoie, à Benjamin Sulte, ni des couples littéraires très divers, plus ou moins précaires, que représentent Charles Gill et Gaétane de Montreuil, Alice Lemieux et Rosaire Dion-Lévesque...

Crusoé, Don Quichotte, une *Vie de Napoléon* et *l'Imitation de Jésus-Christ.* C'est la bibliothèque idéale — la source des rêves, du courage, de l'illusion — de ce solitaire besogneux.

Réfugié dans une île (méditerranéenne), Jean Éthier-Blais, auteur d'*Exils,* emporterait dans sa petite valise les *Chroniques* d'Hector Fabre, l'*Histoire du Canada français* de Groulx, *le Paon d'émail* de Paul Morin, des poèmes en prose de Marcel Dugas, des aphorismes de François Hertel et de Jean Tétreau [2]. Le havresac de Réjean Ducharme comprendrait Nelligan, un Benjamin Sulte, un Aegidius Fauteux, ou encore Édouard Montpetit cité par Hermas Bastien — « ... préparons-nous, dans le culte de la supériorité », en exergue à *l'Hiver de force* —, et surtout *la Flore laurentienne* de Marie-Victorin.

Dans l'esprit de Jacques Ferron, Saint-Denys Garneau est en enfer (avec sa mère, ses amis et commentateurs), Borduas et Gauvreau au purgatoire. Au ciel — *le Ciel de Québec* —, c'est-à-dire dans l'arrière-cuisine de l'Histoire et de la Littérature, sont rassemblés les conteurs, les *quêteux,* les *robineux,* les Amérindiens, les Irlandais (tous Québécois), les ethnologues [3] et les auteurs de monographies paroissiales ou régionales. La bibliothèque idéale de Victor-Lévy Beaulieu — outre les livres qu'il a fait publier au Jour, à l'Aurore et chez VLB — inclurait tous les Ferron, y compris une cousine, *Rose Ferron..., la stigmatisée de Woonsocket,* Jack Kérouac,

2. « Pauvre Vendredi! Quel sort sera le tien? » (*Signets II,* CLF, 1967, p. 16). L'inventaire fait par Ethier-Blais lui-même (p. 11-16), mentionne Groulx, Hertel (*Anatole Laplante*) et — plutôt que Fabre, Morin, Dugas et Tétreau — *Menaud maître-draveur, l'Histoire de la littérature canadienne-française* de Berthelot Brunet, ainsi que Grandbois et les deux Lapointe, poètes.

3. Aux yeux de Ferron, *le Rêve de Kamalmouk,* de Marius Barbeau — mythologie amérindienne romancée — est « le seul livre poétique, c'est-à-dire véritable, qui rende compte de ce fait fondamental, le conflit des civilisations européenne et canadienne qui, lentement, durant trois siècles, s'est déplacé de l'Atlantique au Pacifique. C'est le premier livre de notre littérature, le numéro « un » de la collection Nénuphar. Un grand livre dont on ne parle jamais parce que sa beauté est d'une infinie tristesse » (*Escarmouches,* II, Leméac, 1975, p. 73).

le *Canuck*[4] de Lowell (Mass.), *le Sourire du martyre* de Gérard Raymond, quelques manuels de la Tempérance et de la Confession[5]. La bibliothèque de Jean-Claude Germain ressemble à celle de Beaulieu, en plus robuste, et à celle de Ferron, en plus hilarant : *Originaux et détraqués* (voir sa célèbre préface), prouesses d'« hommes forts », *le Sérum qui tue* (1928), de Marc-René de Cotret, *les Faux-Brillants* (1885), comédie d'un ancien premier ministre, *En attendant Trudot,* etc.

Passons des lectures politiques aux lectures des politiciens. Georges-Émile Lapalme écoutait les voix de Malraux. Duplessis ne lisait rien mais se référait parfois au *Catéchisme des électeurs,* aux historiens Chapais et Rumilly, dévoués conseillers, peut-être aux *Médailles anciennes* de son élégant rival Paul Gouin. Des députés libéraux actuels, M. André Raynauld est sans doute un des rares à se souvenir des origines intellectuelles de son parti, et le seul à lire *la Grande Guerre ecclésiastique* (1873) de Louis-Antoine Dessaulles, « après l'avoir cherché pendant à peu près dix ans[6] », ou le *Papineau* d'Éva Circé-Côté.

Au temps de *la Grève de l'amiante*[7], la modeste section québécoise de la bibliothèque (fonctionnaliste) de Pierre-Elliot Trudeau consistait principalement en revues nationalistes (à pourfendre), en *Mandements* épiscopaux, en brochures corporatistes de l'École sociale populaire, en vieux annuaires de la Faculté des sciences sociales de Laval. Pouvaient s'y ajouter —

4. « ... Comme Canuck il est au bas de l'échelle sociale américaine, les Noirs même lui sont supérieurs, et il faut lire dans les *Souterrains* la triste histoire d'amour de Mardou Fox, la négresse, et du marin canadien-français Léo Percepied pour se rendre compte jusqu'à quel point Kérouac a été incapable de sublimer son appartenance canadienne-française » (V.-L. Beaulieu, « Un Canuck au bout de sa route », *le Devoir*, 25 octobre 1969, p. 19). « Rien de québécois chez le romancier Jack Kérouack », affirme de son côté Jean-Marie Poupart (*le Devoir,* 8 février 1975, p. 16).

5. Pour plus de renseignements, cf. V.-L. Beaulieu, *Manuel de la petite littérature du Québec,* Montréal, l'Aurore (autre enfant martyre?), 1974.

6. Réponse à une enquête du *Devoir* (supplément littéraire de l'automne 1976).

7. Les événements sont de 1949; le livre est de 1956.

à cause de leur pessimisme — un Olivar Asselin, un Victor Barbeau, mais surtout le *Canadien* de Wilfrid Bovey, *The French Canadians* de Mason Wade, *French Canada in Transition* de E.C. Hughes... Quand il arrivait au codirecteur de *Cité libre* de se référer à un autre historien québécois que l'abbé Maheux, il parlait des « Trois *illusions* de la pensée canadienne-française », là où Michel Brunet avait écrit « dominantes » ; il parlait de l'« antiimpérialisme » et du « canadianisme (*sic*) », là où Brunet dénonçait l'anti-étatisme et le messianisme [8]. Aujourd'hui, si on en juge par les citations internationales et transnationalistes — de Thémistocle à Malraux en passant par Renan — du Premier Ministre devant la Chambre de commerce de Québec (janvier 1977), l'arsenal politico-littéraire de M. Trudeau et de ses aides de camp ne comprendrait *aucun* écrivain québécois.

CLASSICISME INTROUVABLE

Les *classiques* de la littérature canadienne-française, de 1760 à 1960, peuvent être plusieurs dizaines ou quelques unités (à peine), selon la définition que l'on adopte. Si on tient compte du rayonnement, le seul ouvrage de ces deux siècles qui soit devenu un mythe — sinon un texte — international est *Maria Chapdelaine,* cette cousine à la mode de Bretagne qui nous ressemble comme une sœur, une fille, une grand-mère. Les autres sont à peu près inconnus hors de nos frontières. Sont-ils de première classe, au premier rang? Ils sont seuls, ici, à leur époque. Font-ils encore autorité? Pas dans leur domaine : François-Xavier Garneau est passé de l'histoire à la littérature, pour d'autres (poètes, romanciers, critiques) c'est l'inverse. Méritent-ils d'être imités? Ils ne sont plus pastichés, comme jadis Camille Roy ou Lionel Groulx, mais plutôt parodiés, métamorphosés. Fréchette ou Marchand sont repris au théâtre ; Nelligan est présent dans *le Nez qui voque,* les Patriotes exilés se retrouvent chez Hubert Aquin.

8. Cf. *la Grève de l'amiante,* Ed. du Jour, 1970, p. 28, note 43.

Beaucoup de pseudo-classiques[9] sont *classés* comme un monument, un site, ou une affaire. Ils n'ont même pas l'antiquité relative, la saveur archaïque des récits, relations, histoires et descriptions du Régime français. Ils sont seulement dépassés, démodés, anciens. Heureusement (pour eux), on vieillit vite ici. *Le Survenant* et *Menaud* sont entrés dans la légende. *Trente Arpents* aura bientôt le grain des beaux meubles rustiques. D'autres œuvres, conformistes sans être tout à fait conformes aux règles d'usage, sentent le déjà-vu, l'ailleurs, le nulle-part, l'à-peu-près, le jamais-lu. Faucher de Saint-Maurice, qui a beaucoup voyagé, beaucoup publié, a peu vécu et peu *écrit*. Il a laissé des œuvres composites, inchoatives, prolixes, intéressantes par fragments.

Si on se réfère aux canons esthétiques habituels — division des genres, fidélité aux lois, équilibre et clarté —, nos œuvres sont baroques, romantiques, parfois précieuses, le plus souvent académiques, très peu *classiques*. Nos premiers romans ne sont pas des romans mais des légendes fantastiques ou des thèses agronomiques ; nos premiers poèmes sont des chansons, des cantiques, des maximes (Michel Bibaud) ; nos premiers spectacles sont des discours. *L'Influence d'un livre* est médiéval, germanique, magique ; *Une de perdue, deux de trouvées* a les couleurs et la luxuriance des Tropiques. *La Terre paternelle* ou *Jean Rivard* ne sont pas davantage de lumineux jardins à la française, aisés, harmonieux, mais un sombre mélange de souches, de clôtures, de vents bibliques et nordiques.

S'ils ne furent pas classiques à la façon des XVIIe ou XVIIIe siècles, quelques-uns de nos écrivains furent-ils au moins classiques modernes, comme Gide ou Valéry, ou néo-classiques, comme Montherlant ? Nourris de grec et de latin — et malgré les efforts de Marcel Dubé du côté d'*Antigone* et d'*Électre*, ou plutôt d'Anouilh et des Américains —, nous n'avons d'autre statue à offrir au Musée imaginaire de la tragédie (classique) mondiale que le friable *Brutus* de Paul Toupin.

9. Lucien Rainier, M.-A. Lamarche et divers auteurs réunis pour leurs bonnes œuvres dans la collection « Classiques canadiens » chez Fides.

Classique veut dire aussi caractéristique (d'une époque, d'une école, d'un mouvement). C'est en ce sens que nous pouvons désigner quelques dizaines d'œuvres comme phares, jalons, étapes. Nosseigneurs Bourget, Laflèche et Paquet n'ont ni la parole de Bossuet, ni l'esprit (le cœur) de François de Sales, ni même la plume de Louis Veuillot. Garneau n'a pas la « substance » de Michelet; Groulx n'a pas l'hellénisme et le romanisme de Maurras. Pourtant, ils nous touchent. Nous les lisons comme d'authentiques primitifs, à la fois lointains et tout proches, gris foncé ou vert pâle, célestes et terriens.

Étudiés dans les classes? Comment? Pendant combien de temps? Nos meilleurs écrivains ont été tour à tour oubliés, censurés, redécouverts, perdus, déplacés. Un poète devient épistolier (Crémazie) ou conteur (Fréchette); un historien (Garneau) devient idéologue, orateur, poète; un essayiste (Buies) est lu comme géographe et fonctionnaire. Sans compter la psychanalyse de Laure Conan et les fonctions et séquences de Propp plaquées sur *Charles Guérin*.

Loin d'être figés, immobiles, nos modestes classiques sont difficilement classables. Crémazie est meilleur critique que Casgrain, *Angéline de Montbrun* est plus scandaleuse que *Marie Calumet*. Nos essayistes les plus lisibles sont des journalistes engagés comme Buies, Fournier ou Asselin. Tel pamphlet devient document, telle lettre roman, tel sermon épopée — et *vice-versa*. Les lueurs de notre obscurité vacillent, oscillent entre l'étouffement et la lumière. Aucune ne brille d'un éclat pur, continu et constant. D'une décennie à l'autre, sans jamais disparaître, leur audience rétrécit ou s'élargit; ils font l'objet de rééditions, de colloques, de thèses, ou seulement de notices, de références. Ils entrent dans la littérature et en sortent. Ils sont précaires, ils sont jeunes, ils sont vivants.

EN POÉSIE

En poésie, la première place est évidemment réservée aux recueils — *Poésies complètes, Poèmes* — de Nelligan, Grandbois, Saint-Denys Garneau, Anne Hébert, Rina Lasnier. Ils sont omniprésents dans les classes, les librairies, les anthologies, les récitals, et, pour les trois premiers, dans les œuvres littéraires qu'ils ont inspirées, influencées. Nelligan (« Nez lit gant ») lance et soulève *le Nez qui voque,* Grandbois préside à l'Hexagone et à *Liberté,* Saint-Denys Garneau se retrouve chez Anne Hébert, etc. Seule Rina Lasnier est plus isolée, biblique, bilingue, parabolique, associée tantôt à Claudel, tantôt au Père Lamarche. Grandbois, Garneau, Hébert, parfois Lasnier sont dits les « grands aînés [10] ». Nelligan, le plus ancien, se tient toujours au « portail des vingt ans » : frère cadet qu'on aime, qu'on protège.

Au XIXe siècle [11], il n'y a, je pense, aucun recueil à placer tel quel dans la Bibliothèque idéale. Pas même les étranges *Premières Poésies* d'Évanturel, qui seront les dernières (1878). De ce jeune poète post-romantique et pré-nelliganien, à l'« aurore automnale », à la « flamme mourante », aux hivers phtisiques, on ne saurait relire tous les ans que quatre ou cinq pièces. C'est également le cas de Crémazie (*le Potowatomis, Promenade de trois morts...*) et de Fréchette (*la Découverte du Mississipi,* quelques moments de la *Légende d'un peuple*). Des membres réguliers de l'École littéraire de Montréal [12] au début du XXe siècle, peu de poèmes (de Gill, de Ferland, d'Alphonse Beauregard) pourraient échapper à l'oubli.

10. Qu'ils soient *modernes* ou non — suivant les définitions opposées de Gilles Marcotte et de Philippe Haeck (celui-ci doute que *Regards et jeux dans l'espace* et *Songes en équilibre* soient « valables sur le plan du langage ») —, Grandbois, Garneau et Hébert se situent à la charnière de deux époques, ici.

11. L'anthologie de la poésie canadienne-française du XIXe siècle que prépare John Hare deviendra peut-être, elle, un *classique.* Très utile est l'identification et la remise en circulation de la *Poésie nationaliste au Canada français (1606-1867)* par Jeanne d'Arc Lortie aux P.U.L. (1975). On me permettra de signaler aussi qu'une équipe travaille, aux P.U.Q., à une anthologie générale de la poésie du Québec.

12. Voici le jugement, tranchant sans être injuste, du futur fondateur de l'Académie, qui fut membre de l'Ecole : « N'étant, dans les faits, qu'une école de nom, n'ayant pas de maîtres et pas davantage de disciples, l'Ecole littéraire n'a rien créé, n'a rien renouvelé et n'a rien illustré. Elle n'a fait éclore aucun talent et elle n'a fertilisé aucun de ceux qui se sont joints à elle. Voilà l'exacte mesure de son action (...) l'Ecole littéraire n'a réuni que des fruits trop secs ou trop verts » (Victor Barbeau, « L'Ecole littéraire de Montréal », dans les *Cahiers de l'Académie canadienne-française,* 14, *Profils littéraires,* 2e série, 1972, p. 139-140).

Parmi nos classiques modernes (ou l'inverse), il faut faire une bonne place à Paul Morin — qu'on devrait être à la veille de redécouvrir —, surtout au *Paon d'émail,* si fier, sonore, mythologique et théâtral, prisonnier d'une écriture qui le définit comme mortel, mourant :

O profonde, amoureuse paix orientale
Des cyprès ombrageant un sépulcre exigu,
Vous me garderez mieux que la terre natale
Sous l'érable neigeux et le sapin aigu!

Morin n'en finit plus de faire neiger dans l'azur sicilien, sur les temples grecs (*Ami, ne rentrons pas...*), sur les cyprès, les fontaines, les ruines, les fleurs exotiques, les cimetières marins. C'est sa façon de convertir son exil. Un autre poète à rapatrier est Marcel Dugas, baroque raffiné, décadent pudique, pas du tout oriental ou méditerranéen. Une sorte de Parisien montréalais, alors qu'il y eut tant de Montréalais parisiens, ici, du *Nigog* à *Amérique française.* Dugas est poète (verlainien) en prose, parfois proche de Cocteau : « Pour un cinéma voluptueux et ironique, fleuri de légers sarcasmes, voltigeant à l'entour de vierges mobiles, caressantes, fluides comme l'eau d'un lac ou des miroirs » (*Psyché au cinéma,* 1916) ; de Gide : « Sois incohérent avec patience et ténuité; c'est ta nature, et peut-être, ta façon de régner » (*ibid.*) ; de Marcel Dugas lui-même, « papillon aveuglé et fou », « ramené à cette brûlure de la sombre flamme qui se consume en moi-même » (*Cordes anciennes*).

Immédiatement après la Guerre, *le Vierge incendié*[13] du jeune Paul-Marie Lapointe (1948) voisine, sans y aborder, *les Îles de la nuit* (1944) de Grandbois. « Crâne balayé rose, je vais partir dans la barque du cheval... », annonce Lapointe. Ces ruines, ces couleurs, ces « mots-flots » — « le paysage était à refaire » — sont également ceux des albums d'art et de poésie de Roland Giguère, dont *les Armes blanches* (en attendant *l'Âge de la parole*) est l'instrument le plus sûr.

13. Que vient d'analyser Jean-Louis Major (manuscrit à paraître aux P.U.M., coll. « Lignes québécoises »). Quant à Claude Gauvreau, son meilleur recueil, *Etal mixte,* est de 1968 (Ed. d'Orphée).

DU CONTE AU ROMAN ET AU THÉÂTRE

Dans le domaine de la fiction narrative — mettons ici sur le même rayon contes, légendes, récits, romans, nouvelles et même le théâtre —, la tradition orale est sans doute plus riche que les textes écrits et publiés. On peut toujours en trouver des échos, des traces, dans *l'Influence d'un livre* [14], *les Anciens Canadiens* ou *Forestiers et voyageurs*. Retenons, à ce titre, les Aubert de Gaspé, fils et père, ainsi que Taché, à l'aise dans le folklore et les genres *Divers* [15]. Le seul recueil de nouvelles à pouvoir être dit *classique* est celui du compilateur John Hare [16]. Enfin, les introductions, préfaces, postfaces, autocensures, défenses et illustrations, idéologiquement engagées, honteuses ou triomphalistes, sont souvent plus intéressantes [17] que les romans eux-mêmes.

La Terre paternelle, du notaire Lacombe, est le prototype des thèses agriculturistes romancées. Le manichéisme y fonctionne à merveille; tout y est sobrement agencé. Moins sec, plus littéraire, est le solide *Charles Guérin* de Chauveau, homme de lettres (et homme d'action) important dont il serait temps d'écrire la biographie [18], comme on l'a fait pour Taché ou Gérin-Lajoie. Les deux meilleurs, sinon les deux seuls, romans du XIXe siècle canadien-français sont *Une de perdue, deux de trouvées* et *Angéline de Montbrun*. Ils sont tous les deux naïfs, inconscients, emportés, l'un vers les aventures tropicales et les monstres pittoresques, l'autre vers la mystique refoulée en ascèse puis en masochisme. Le roman de Boucherville est large, lâche, débordant; celui de Laure Conan est étroit, dur, concentré. Voilà les deux pôles — Amérique fran-

14. Beau titre (1837) que l'abbé Casgrain, on le sait, camoufla sous l'inoffensif *Chercheur de trésors* (1864).

15. Tel est le titre du troisième ouvrage, posthume (1893), de Gaspé père.

16. *Contes et nouvelles du Canada français,* 1778-1859, Ed. de l'Université d'Ottawa, 1971.

17. Voir la compilation de G. Rousseau, *Préface des romans québécois du XIXe siècle,* Sherbrooke, Cosmos, 1970; D.M. Hayne et M. Tirol, *Bibliographie critique du roman canadien-français,* 1837-1900, UTP/PUL, 1968 (mille détails sont à savourer dans cet ouvrage technique).

18. Il existe tout de même le mémoire de maîtrise de Cl. Magny, *Pierre-Joseph-Olivier Chauveau; sa vie, ses œuvres,* Université de Montréal, 1968.

çaise et morale catholique — de notre imaginaire collectif traditionnel.

Puisque *Maria Chapdelaine* fait partie de la littérature canadienne-française comme fille adoptive (ou fille *engagère*), ce qui serait ailleurs feuilleton ou roman populaire devient ici référence et référent, moteur, matrice. Nous lisons — ou ne lisons pas — *Maria Chapdelaine* autrement que les Bretons et les Français :

> Menaud était assis à sa fenêtre et replié sur lui-même. (...) Soudain, Menaud se dressa sur son siège comme si ce qu'il venait d'entendre eût ouvert là, sous ses pieds, un gouffre d'ombre.

Ce sera tout à l'heure une braise, une flamme, un « feu d'abatis ». *Maria Chapdelaine* est l'austère, le sombre, le violent horizon sur lequel se découpent pêle-mêle *Menaud maître-draveur, la Scouine, Un homme et son péché, Trente Arpents,* qui marquent à quelques années d'intervalle l'apogée et la fin du Terroir. *Le Survenant* est notre *Grand Meaulnes,* les Lacasse de *Bonheur d'occasion* sont nos Pasquier ou nos Thibault, *Poussière sur la ville* est notre *Nausée.* Devenus contemporains des Français (pas encore des Parisiens), nous pouvons désormais les fréquenter sans les imiter.

Parmi les succès de scandale, ni la truculente *Marie Calumet* du major Girard, ni *les Demi-Civilisés* du journaliste Harvey ne sont des œuvres durables. C'est un insuccès de scandale, où la censure fut absolument efficace — *le Débutant* (1914) d'Arsène Bessette —, qui est l'œuvre la plus lisible, la plus fraîche. Au milieu du siècle, les défis sont plus réels et la révolte est puissante dans les *Contes pour un homme seul* (1944) d'Yves Thériault, *le Torrent* d'Anne Hébert, le *Mathieu* de Françoise Loranger. Nous retrouverons ces noms au théâtre, avec ceux de Gélinas, Dubé, Languirand (*les Grands Départs*), Ferron (*les Grands Soleils* [19]).

19. Malgré son peu de succès à la scène dix ans plus tard — pour toutes sortes de mauvaises raisons —, cette pièce (première version, chez Orphée) date de 1958. A cette époque, les contes de Ferron sont encore dispersés et en partie inédits.

Au XIXe siècle, la pièce la plus intéressante est *Une partie de campagne* [20], de Pierre Petitclair, dont le sujet rappelle *l'Anglomanie* [21] de Quesnel, mais qui en diffère par le ton et le rythme. Un étudiant snob, baptisé Guillaume, anglicisé en William, revient passer ses vacances aux bords du lac Calvaire. Il ne reconnaît ni sa fiancée ni ses amis d'enfance, qui entreprennent de lui faire la leçon. Les niveaux de langue s'étagent et font contraste, comme les villageois et paysans s'opposent aux citadins et aux touristes. Les *reels* du Musicien, les pataquès de Flore et Baptiste sont présentés comme une sorte de contre-culture. Ignorer la « maisantoupie », prononcer *élégance* pour éloquence, *politesse* pour politique, confondre Eugène Sue et Victor Hugo avec « Jeanne Sure » et « Victoire Gigo », c'est opposer à la culture officielle, étrangère, importée, l'authenticité du folklore et du bon sens populaire.

La partie ne sera gagnée qu'un siècle plus tard. Jusque-là, dépassé par les prédicateurs et les tribuns, le théâtre canadien-français s'épuisera entre les divertissements versifiés et le culte (très peu historique) des héros et martyrs. Du *Jonathas* (1935) biblique, juvénile, du Père Lamarche, disciple de Ghéon, aux *Grands Soleils* primitifs et révolutionnaires du mécréant Ferron, fils de Chénier, la route passe par la courbe des *Fridolinades* et le détour des veillées-du-bon-vieux-temps en famille au Monument national.

ESSAIS EN TOUS GENRES (LITTÉRAIRES)

C'est dans le domaine vaste et peu exploré des *essais* que quelques découvertes ou surprises attendent peut-être l'amateur de Bibliothèque idéale. Entendons par essai, avec *le Petit Robert*, un « ouvrage littéraire en prose, de facture très libre, traitant d'un sujet qu'il n'épuise pas ». Avec Lukacs, distinguons les essais littéraires authentiques de « ces écrits utiles, nommés improprement essais, qui ne peuvent jamais nous

20. Créée à Québec en 1857, reprise en 1860, 1866, parue à Québec chez Joseph Savard en 1865; sera peut-être rééditée bientôt dans les « Cahiers du Québec », chez HMH.

21. D'où l'attribution erronée que fait, par exemple, *la Barre du jour*, I : 3-4-5, juillet-décembre 1965, p. 113.

donner plus que des enseignements, des éléments d'information et des « rapports » [22]. Excluons donc les traités didactiques, les sciences humaines, la critique spécialisée. Incluons cependant la littérature intime (mémoires, journaux, fragments autobiographiques), à condition qu'elle ne soit pas réductible au récit romanesque ou romancé.

L'Histoire du Canada de Garneau appartient davantage à la littérature qu'à la science historique, contrairement aux *Cours* secs et linéaires d'un Ferland ou d'un Chapais. Je dirais la même chose de l'*Histoire,* plus savante, de Groulx. Son idéologie, sa passion, son style le rapprochent des essayistes-orateurs (si ces termes ne sont pas contradictoires). Que retenir d'autre [23] de cette œuvre immense que le Passé irrigue sans la noyer? On peut hésiter entre *les Anciens Canadiens* et les *Mémoires* du vieil Aubert de Gaspé, qui sont presque deux moutures de la même œuvre, comme entre *Originaux et détraqués* et les *Mémoires intimes* de Fréchette. Autre aspect de la littérature orale, plus ou moins improvisée, directe, en acte : le fameux *Discours de Notre-Dame* de Henri Bourassa.

Crémazie épistolier et critique est plus vigoureux que Crémazie versificateur claironnant, mais il faut encore choisir — des lettres ironiques à Casgrain, un peu de *Journal du siège de Paris...* — dans la *Prose* que vient d'éditer avec soin Odette Condemine [24]. Après avoir été longtemps censuré, tout Arthur Buies demeure scandaleusement introuvable. Ce n'est pas trop grave pour le Buies journaliste (même de *la Lanterne*), reporter, géographe ou propagandiste, mais les *Lettres sur le Canada* sont un pamphlet prophétique et les *Chroniques,* inégales, ont des pages fulgurantes : essais (« Le pré-

22. G. Lukacs, « Nature et forme de l'essai », *Etudes littéraires,* 5 : 1, avril 1972, p. 92. Il s'agit de la traduction du premier chapitre de *l'Ame et les formes* (Berlin, 1911), qui paraîtra chez Gallimard en 1974.

23. Pour les *Rapaillages,* contentons-nous de l'amusant pastiche « Rabâchages » dans L. Francœur et Ph. Panneton, *Littérature à la manière de...,* Garand, 1924.

24. *Oeuvres,* II : *Prose,* Ed. de l'Université d'Ottawa, 1976, 438 p. « Crémazie aurait envoyé plus de huit cents lettres à sa mère et à ses frères » (p. 9) ; il n'en reste que soixante-cinq.

jugé »), crises existentielles à Paris et à San Francisco, réflexions sur le vide et le passage du temps.

Pour représenter à la fois le clan Papineau-Dessaulles, Saint-Hyacinthe, la bourgeoisie *rouge* et la jeunesse de l'époque, c'est *Fadette, Journal d'Henriette Dessaules, 1874-1880* qu'il faut choisir. Tout y est : l'indépendance frondeuse (comme chez l'oncle Louis-Antoine), le libre examen, une pointe d'anticléricalisme et de complexe d'Electre. La lutte pour la vérité et la liberté est appuyée, chez Henriette, par une forte passion amoureuse. Dommage que ses billets au *Devoir* soient si fades. Henriette Dessaules n'est elle-même qu'entre quinze et vingt ans — comme Nelligan. L'âge mûr et la vieillesse conviennent magnifiquement, au contraire, aux Mémoires de Robert de Roquebrune, qui représente à peu près seul, au XXe siècle, la petite noblesse des seigneuries.

Aucun ouvrage de critique littéraire parmi ces essais en tous genres à relire pour le plaisir. Seulement quelques préfaces : Dantin sur Nelligan... Certains numéros de revues font sans doute partie de notre Musée imaginaire sinon d'une Bibliothèque idéale : l'année du *Nigog,* la fin de *Vivre,* une paire de *Gants du ciel,* Saint-Denys Garneau au milieu de *la Relève, les Idées* contrastées des notaires Brunet et Pelletier, le clochard et le connétable... du côté socio-politique, *Relations,* en noir, sur la silicose et l'amiantose (avec rétractation en perspective), les signatures d'un Vallières ou d'un Vadeboncœur dans *Cité libre.* Nous arrivons à 1960 où l'essai fondamental, mieux que les *Insolences* et *Convergences,* est le *Journal d'un inquisiteur* [25] inconnu, Gilles Leclerc : « Je ne parle jamais de la liberté de parole, je la prends. »

ENTRE LA LIBRAIRIE ET LE MUSÉE

Fallait-il commencer par le commencement? Après 1760 — « ... c'est un livre qui se ferme », dit Frégault —, j'aperçois l'*Appel à la justice de l'État* de Du Calvet, la bonne pédagogie de Perrault, les « magasins » hétéroclites de Bibaud, les

25. Ed. de l'Aube, coll. « Fatum », 1960; réédité au Jour (préface de Jean Marcel), 1974.

premières feuilles politiques, les harangues réformistes ou révolutionnaires, les sages conférences d'Étienne Parent. On doit les retenir parce qu'ils sont les premiers, les pionniers. On doit les retenir en mémoire, en Histoire, pas nécessairement dans sa bibliothèque littéraire (idéale). Car ils *écrivent* moins qu'ils ne parlent, ne plaident, ne se — nous — défendent. C'est finalement l'échec de 1837-1838 qui nous réduit à la plume et au papier, à l'écriture [26], à l'opacité d'un langage qui ne va plus de soi.

On pourrait répartir la Bibliothèque canadienne-française idéale non plus d'après les genres et les époques, mais suivant les régions naturelles. Musée Maria-Chapdelaine à Péribonka (malgré les réserves du Saguenay-Lac-Saint-Jean envers Louis Hémon, musée Laure-Conan à Pointe-au-Pic, musée Albert-Laberge à Beauharnois (j'imagine), etc. Charlevoix est le pays de *Menaud* pour la montagne, de Pierre Perrault pour le fleuve et l'Île-aux-Coudres. Le Chenal du Moine est inséparable du *Survenant*, et les Laurentides d'*Un homme et son péché.* (Saint-Jean-de-Dieu et Montréal-Nord se partageront la saga de Victor-Lévy Beaulieu.)

Cependant, la Mauricie est peu visible dans *Trente Arpents*. Nous n'avons pas de « roman des Cantons de l'Est », même si Jean Rivard en défriche un lot. Saint-Henri a été une fois pour toutes arpenté et défini par Gabrielle Roy, mais les autres quartiers de Montréal existent peu, même le *Quartier Saint-Louis* de Roquebrune (corrigé et complété par le *Carré Saint-Louis* de Jean-Jules Richard), même la Côte-des-Neiges des intellectuels... Notre littérature régionaliste aura été aussi peu régionale qu'universelle, et pour les mêmes raisons. Rien de comparable, avant 1960, à ce que sera le Maskinongé mythique et réel de Jacques Ferron.

26. « J'appelle ECRITURE QUEBECOISE les textes qui, depuis plus d'un siècle se nourrissent, et naissent, d'un doute réel quant à la possibilité d'une installation française en Amérique britannique du Nord. Ce sont les seuls vivants. Ils sont provoqués par la claire vision de la mort (...) L'inconfort ne se chante pas. Il s'écrit » (G.-A. Vachon, « Naissance d'une écriture », *Etudes françaises*, IX, 3, août 1973 — n° spécial sur « les Démocrates canadiens 1845-1875 » —, p. 194-195).

Une bibliothèque, étant constituée de livres par définition, n'a pas la souplesse d'une anthologie ou d'une encyclopédie. La Bibliothèque idéale de la littérature québécoise contiendra donc de beaux gros livres comme les *Œuvres* de Saint-Denys-Garneau ou la *Flore laurentienne* (rééditée), mais elle ne pourra intégrer des noms de polygraphes aussi importants — pour l'histoire, au moins — que Casgrain et Taché (couple antinomique), Fournier et Asselin, Dantin, etc. Une bibliothèque vraiment *idéale* (et non idéaliste) devrait être une souple Anthologie. Peu de livres y figureraient à part, intégralement, mais des poèmes, des contes, des essais, des descriptions, des fragments autobiographiques et romanesques, quelques pamphlets. Notre Bibliothèque, entre la Conquête et la Révolution tranquille(s), est un seul Livre, en train de se (re)faire.

la littérature québécoise contemporaine 1960-1977

I LA POÉSIE

CLÉMENT MOISAN

À une étude qui rassemble à peu près tous les poètes dont il sera question ici, Guy Robert a donné le titre : *Poésie sauvage*[1], qui s'inspire des mots de Paul-Émile Borduas : « notre *sauvage* besoin de libération » (*Refus global*). Le mot est à la mode[2] et Claude Péloquin va même jusqu'à assimiler les poètes de sa génération aux premiers habitants de ce pays : « C'est vrai qu'on est des sauvages — Et après? Il nous reste au moins ça![3] » Il faut tout de suite dire que cette poésie n'est qu'à demi sauvage, qu'elle n'a rien de très rude, ni de cruel. Elle est même tout le contraire, naïve, volontiers sentimentale et même larmoyante. À la fois hypercultivée et *acul-turée*, cette sauvage poésie serait un alliage de primitivisme volontairement entretenu et d'expériences ésotériques recherchées. Mais comme tout s'incarne dans le langage, il est possi-

1. Guy Robert, « La poésie sauvage au Québec », *Il y a des poètes partout*, *Revue d'esthétique*, nº 3-4, 1975, coll. 10/18, p. 132-163.
2. C'est le titre d'un recueil de Jean Larivière, *Sauvage*, Ed. des Foyas, 1972.
3. Claude Péloquin, *Eternellement vôtre*, Ed. du jour, 1973, p. 19.

ble de trouver dans ce domaine un lieu d'exploration qui serve à la description de ce corpus récent. Trois mots permettront un classement arbitraire des poètes : *rhétorique, mystique* (sauvage, il va de soi) et *musique*. En dix ans de poésie québécoise (1966-1976) on peut voir resurgir plusieurs des caractères du XIXe siècle poétique français. Aussi ai-je cité à dessein en exergue de chacune des parties Sainte-Beuve, Flaubert et Balzac qui sont là à la fois pour ce qu'ils disent et pour montrer que nous en sommes toujours à trois âges de l'appréhension (ou de la compréhension) de la poésie, selon qu'on met l'accent sur l'image (ou les figures), le message ou la musicalité.

1. L'âge de la rhétorique

> Tel se flatte toujours d'être un poète qui n'est le plus souvent qu'un magnifique rhétoricien.
>
> Sainte-Beuve

> Oh que multiple est écrire aujourd'hui.
>
> Michel Garneau, *la Plus Belle Ile*, p. 17

« L'écrivain branche et débranche les mots et les phrases au fur et à mesure qu'il avance dans le réseau linguistique, intervenant alors au fils (*sic*) des événements sémantiques qu'il produit (...) Les mots circulent et s'exploitent les uns les autres (non les uns contre les autres) pour un meilleur partage entre la connaissance et d'inquiétantes retrouvailles dans un monde inédit [4]. » Tel pourrait être *a posteriori* (ce texte est de 1972) le postulat qui ouvre l'ère des recherches formelles ou formalistes en poésie québécoise. Mais *a priori* les poètes avaient eu conscience de commencer un travail qui rompait avec une tradition. Aux débuts de la maison d'édition l'Estérel (1966), les principaux auteurs, qui venaient de tous les horizons (l'Hexagone, Orphée, Erta, Parti pris, etc),

4. Nicole Brossard, « Naissance et dispersion du désir », *Liberté*, n° 84, 1972, vol. 14, n° 6, p. 22-23.

s'étaient plus ou moins donné quelques principes équivalant à une doctrine littéraire et un système de valeurs, les deux liés entre eux par le caractère expérimental des recherches poétiques. On peut parler ici d'une nouvelle rhétorique, sorte de formalisation et de théorie, répondant à une pratique totale de la poésie.

L'Estérel et *Quoi* ne firent pas école, mais ils ont marqué les auteurs qui s'y sont trouvés au début, Michel Beaulieu, Gilbert Langevin, Luc Racine, Raoul Duguay et leurs successeurs de *la Barre du jour,* Nicole Brossard, Roger Soublière, Jean-Yves Collette, Marcel Saint-Pierre, Yolande Villemaire, France Théôret. Une fois l'Estérel disparu, ils sont passés pour la plupart aux Éditions du Jour, puis à l'Aurore et enfin aux Herbes rouges. On retrouve ainsi une filiation qui s'étend sur les dix dernières années de poésie québécoise.

En tête du deuxième numéro de la revue *Quoi* (été 1967) le mot *laboratoire* est lâché : « Nous intensifions, depuis peu, le laboratoire [5]. » Et c'est bien d'expériences de laboratoire dont il s'agit, qu'on publie certes, mais surtout qu'on justifie. Michel Beaulieu décrit la (sa) poésie comme un des gestes quotidiens, « mais un geste codifié selon certaines données extrêmement variables » (p. 8). La poésie est ce que l'encodeur la fait. Raoul Duguay, lui, définit sa poétique de l'*oralité* en la fondant sur les ressources sonores et rythmiques du langage [6]. Le postulat de base est le suivant : « toute œuvre d'art suppose une technique et même une théorie de cette technique, car toute théorie suppose une technique d'apprentissage capable de l'incarner » (p. 20). Quant à Luc Racine, il propose des « variations (sur un poème de Rimbaud) impliquant une transposition du principe sériel à l'écriture poétique » (p. 40). Sans vouloir « développer une esthétique poétique explicite et globale », il tente « d'exposer les *règles* assez

5. *Quoi,* vol. 1, nº 2, printemps-été 1967, p. 4. Les références à ce numéro paraîtront à la suite du texte cité.

6. « Mes recherches s'orientent vers une mise en évidence des propriétés psychiques que sous-tendent les formes rythmiques des différents niveaux de sonorités et d'images prises en tant que telles et se manifestant dans la diversité des couches sociales de langages » (p. 22).

strictes de composition élaborées à l'occasion d'une suite de poèmes publiés dans le précédent numéro de cette revue[7] ». Si l'on voulait qualifier ces recherches, on pourrait prendre le titre de l'essai (critique) de Philippe Haeck : *l'Action restreinte/de la littérature* (l'Aurore, 1975). Haeck d'ailleurs se situerait à la fine pointe de cette tendance formaliste en poésie québécoise (*Tout va bien,* l'Aurore, 1975).

Pour reprendre le mot du titre de Philippe Haeck, il s'agit d'une rhétorique *restreinte,* non seulement dans le choix de ses moyens d'expression, mais aussi dans l'élimination des lecteurs possibles. Michel Beaulieu affirmait dans le numéro de *Quoi* cité plus haut : « Je n'écris pour personne (...) Que personne ne me lise ne change rien à ma vie » (p. 8). Et plus loin : « Je renonce ici une fois pour toutes à la poésie dite facile (...) où ne se retrouve aucune recherche » (p. 9). Sur le premier point, on pourrait croire que Raoul Duguay et d'autres ont, par les spectacles poétiques qu'ils ont montés, atteint un public plus vaste. Mais au niveau de l'écrit, ou du *texte, le Manifeste de l'infonie* (Éd. du Jour, 1970) et *Lapokalipsô* (*idem,* 1971) n'ont rien de livres pour *Toulmonde,* selon l'expression préférée du poète. Il ne s'agit pas d'ailleurs de poésie *facile,* comme le laisserait paraître un premier regard jeté sur ce bric-à-brac poétique, mais plutôt de *bababahellll,* comme l'écrit Duguay, un *babel* sonore et graphique, *audio-visuel,* pour reprendre encore les mots du poète. Collages, jeux de mots, graphismes et dessins, alchimie verbale, diarrhée de vocables et de chiffres disposés en poèmes carrés, triangulaires ou en figures géométriques, tout cela représente une prolifération des tics d'un certain modernisme actuel. D'autres auteurs insisteront davantage sur les matériaux linguistiques : ce que Nicole Brossard appelle la *transgression ludique* « de la bonne syntaxe », qui correspond à celle de l'interdit (sexuel surtout) et « de toutes les idéologies, la dominante plus nécessairement que toute autre[8] ». Trans-

7. *Quoi,* no 1, janvier-février 1967, p. 34-38.
8. Nicole Brossard, « Vaseline », *la Barre du jour,* automne 1973, p. 16, cf. mon compte rendu de *Mécanique jongleuse, Livres et auteurs québécois,* 1974, p. 122-125.

gression-jeu, qui suppose risque, d'avatars ou de défaites, mais aussi et surtout plaisir. *Plaisir du texte,* du corps-texte (ou *cortex,* selon l'appellation de Nicole Brossard) qui sécrète des *impressions* ou produit des *pulsions,* pour utiliser le titre d'un recueil de Michel Beaulieu.

Derrière ces activités ludiques, il existe une intention de révolution, qui atteint, on l'a déjà vu, les idéologies, les systèmes de pensée, morale et politique. Contestation et vision du monde. François Charron indique qu'il s'agit du rejet d'une « société qui fonctionne selon un mode de production capitaliste [9] ». Les *conditions de la transgression* s'appuient sur deux points : le *champ textuel,* comme pratique de l'écriture; et le *champ social* comme pratique idéologique (p. 39). Sur ce dernier point, la transgression « est avant tout militante. Elle lutte, saccage, démantèle l'idéologie bourgeoise (...) Ceci implique que les contradictions textuelles soient exacerbées et mises en relation avec les contradictions de classes » (p. 39-40). Six ans auparavant, Luc Racine, dans la revue *Quoi,* définissait de façon à peu près identique, les deux mêmes points : « C'est d'une réflexion sur ces deux points — sort des poètes liés à l'expérience révolutionnaire, particulièrement à l'échec de la révolution, rapprochement de la pensée symbolique et de la pensée conceptuelle par le biais de l'élaboration du principe sériel en musique — que m'est venue l'idée d'écrire une brève suite de variations sur un poème de Rimbaud... » (p. 40).

D'où l'on voit qu'à travers cette décennie rhétorique, les expériences et les réflexions se redoublent, se répètent, et parfois dans les mêmes termes. La configuration obéirait à deux pôles d'attraction, reliés l'un à l'autre et souvent confondus; l'un rassemblant les *moyens stylistiques,* l'autre définissant les *objectifs idéologiques* que visent, sans le dire, les premiers. Car la rhétorique n'a jamais été innocente; elle est, outre un moyen d'expression, un moyen de persuasion, ce que

9. François Charron, « Transgression et/ou littérature politique », *la Barre du jour,* automne 1973, p. 34.

les poètes ont nommé plus haut *transgression.* En tête du numéro de *la Barre du jour* portant sur ce sujet, on lit : « Ce texte n'est qu'un jalon dans le parcours de la transgression du texte et en même temps une saisie du texte de la transformation sociale en train de se faire [10]. » À la limite il est impossible de dissocier les deux *pratiques* qui s'emboîtent, s'enferment l'une dans l'autre comme des poupées russes.

La poésie qui en découle (ou en *dérive,* pour ne pas s'écarter du vocabulaire de ces poètes) pourrait être qualifiée de *baroque,* en supposant que celle qui a précédé appartienne à une *renaissance.* La stylistique baroque se définirait, de façon très schématique, par l'accent qui est mis sur la forme, le contenant, en vue de la traduction d'un univers paradoxal, contrasté. D'où l'abondance et la complication des figures de rhétorique dans la poésie de l'époque dite baroque, à quoi correspondent ici les recherches de formes et formules inusitées. Le style baroque n'est pas *un;* plutôt un amalgame, un ordre de styles exprimant des attitudes qui ne peuvent se traduire que par ces styles où joue abondamment le hasard désormais contrôlé, maîtrisé. « J'attends que l'écriture permette », dit Nicole Brossard, c'est-à-dire qu'arrive « CETTE ÉCRITURE » (en capitales) qui obéit aux lois du corps :

> *ainsi que converge*
> *tout blanc tout texte s'étirant striant la dimension*
> *blanche des choses...* (*Mécanique jongleuse,* p. 20).

Ou pour citer *Pirouette par hasard poésie* de François Charron (l'Aurore, 1975) :

> *voilà à mon tour de vous inventer*
> *l'écriture à tâtons*
> *qui est prête à c'que vous voulez*
> *pourvu que ça perfore*
> *pourvu que ça vous abîme le profond.*

Mais ce n'est pas seulement par leur soumission au hasard (objectif ou subjectif?) que les poètes peuvent être

10. André Baudet, « Sous titre », *la Barre du jour,* automne 1973, p. 10. Ce « texte » est un excellent décalque québécois de Sollers et *Tel Quel.*

rapprochés de l'esthétique baroque, ils marquent eux-mêmes leurs préférences de ce côté. Michel Beaulieu déclare : « J'aime la poésie baroque; les surréalistes m'ennuient [11]. » C'est ainsi marquer une rupture; les prédécesseurs (Roland Giguère, Paul-Marie Lapointe, Claude Gauvreau) se réclamaient ouvertement du surréalisme, tout en prenant leur distance par rapport au mouvement français; celui-ci n'exerce plus d'attrait sur les poètes formalistes qui sont plus près de Tristan l'Hermite que d'André Breton ou même de Paul Éluard. On le note surtout au traitement du thème de *l'errance* chez Nicole Brossard et Luc Racine, qui se présente chez ce dernier comme rêve, sommeil, songe, mémoire et langage. Dans *les Dormeurs,* le mot revient à une fréquence peu commune : « fébrile errance » (p. 20), « haut mal d'errance » (p. 38), « errance depuis le premier jour » (p. 62), « pauvres errances » (p. 83), « cette errance » (p. 119), « j'erre encore » (p. 91). Il n'a d'équivalent que le verbe *dormir* : « portes de jade (...) où nous dormions » (p. 70) ; « nous dormions » (p. 116) et le substantif du titre : « venteux silence des dormeurs » (p. 22) ; « le corps des dormeurs » (p. 133). Les *dormeurs* sont des errants négatifs qui, au lieu d'assumer le monde en prenant les risques du voyage, se réfugient dans le refus, ferment les yeux pour ne pas voir ou pour ignorer tout ce qui contredit le rêve : « Oh rêve; charme d'aucun voyage » (p. 102) ; « nous rêvons d'îles... » (p. 107). Aussi à la fin, le poète doit-il avouer : « J'ai voyagé en vain » (p. 87).

Les *Herbes rouges,* revue fondée en 1968, sont connues surtout depuis 1972 quand chaque numéro fut consacré à une seule œuvre d'un même poète. En gros, huit ou neuf recueils par année depuis 1973; au total environ vingt-cinq poètes différents, dont les principaux sont : Roger des Roches, François Charron, André Roy, Claude Beausoleil, André Gervais, Yolande Villemaire, Lucien Francœur, Philippe Haeck, Normand de Bellefeuille, Renaud Longchamps. Comme il est impossible d'analyser tous les recueils, je m'en remets à Richard Giguère qui propose une synthèse des éléments carac-

11. Michel Beaulieu, *Quoi,* vol. 1, nº 2, printemps-été 1967.

téristiques d'un ensemble de recueils parus en 1975. On y verra apparaître à nouveau certains des caractères définis plus haut.

> L'ombre (l'esthétique, la thématique) de Paul-Marie Lapointe et de Nicole Brossard se profile partout dans les pages des *Herbes rouges* (...) Le plaisir — physique, matériel, intellectuel —, la jouissance de créer, d'inventer, de jouer avec les mots est au centre de tous ces textes, et le nom de Roland Barthes (*le Plaisir du texte*) n'est certainement pas étranger à cette euphorie du langage. De l'utilisation des clichés de la publicité, de la BD et du discours public jusqu'aux disciplines scientifiques les plus éloignées de ce qu'on considère généralement comme « poétique » en passant par une conscience sociale et politique toujours en éveil, en n'oubliant pas l'emploi d'un lexique et d'une syntaxe explosés, d'une mise en page et d'un graphisme soignés, *tout est matière à poésie* [12].

Et tout le reste est *littérature*! Encore qu'on n'emploie jamais le mot à la légère, on l'utilise avec grande précaution (De la littérature, écrivait Philippe Haeck), comme s'il était dangereux. Les théoriciens craignent surtout l'ambiguïté dont il est le lieu, les valeurs bourgeoises et capitalistes qu'il dissimule. Certains même identifient *littérature* aux œuvres et auteurs consacrés par une certaine critique traditionaliste, d'appoint, répétitive et au nez court. Critique de récupération aussi, que détestent particulièrement les poètes dont on traite ici. Dans *Littérature/Obscénités* (l'Aurore, 1974), François Charron veut *démontrer* le « rôle idéologico-politique des discours » sur les œuvres littéraires, ces *monuments* érigés par l'effet de la critique officielle. À cette fin, il reprend les œuvres pour y insérer « des sacres, des slogans commerciaux »; il brise les règles de la grammaire, de l'orthographe, afin, par ces signes manifestes, d'indiquer un anti-discours-littéraire-bourgeois. Le même auteur, dans *Interventions politiques*, avait dit explicitement :

12. Richard Giguère, « Les Herbes rouges », *Une grande « petite revue »*, *Livres et auteurs québécois*, 1975, p. 121, souligné par l'auteur.

Je refuse de reproduire
les idéologies du beau et du sensible
car
toute écriture dénonce des intérêts
de classe qu'on le veuille ou non [13].

Les moyens pour y arriver sont d'ordre linguistique : « enfreindre le code habituel de la création ». Les créateurs ont toujours fait leurs beaux dimanches de cette *contre-création* (voir Henri Michaux) pour renverser des visions stéréotypées du monde. Les uns avec plus de succès, d'autres avec moins.

On a noté au passage que le mot *texte* [14] revient souvent, accolé à *corps*, à *plaisir* et aussi à *procès*. Les auteurs parlent de *contexte*, de *prétexte*, qu'ils décomposent au besoin. Ce terme remplace souvent le mot piégé de *littérature;* il indique d'ailleurs aussi qu'on n'embrasse plus celle-ci dans son ensemble, comme une histoire, mais dans ses parties, comme « production de l'écriture/lecture », « mise en jeu et mise en œuvre [15] ». Dans le texte, c'est la *négativité* qu'on cherche et souvent trouve : désidentification du sujet, contre-écriture, créateurs hors système, *je* et *contre-je*. Il s'agit d'un texte « hors la langue », comme on dit *hors la loi*. On pense spontanément à *l'Écriture et l'expérience des limites* de Philippe Sollers (Seuil, 1968). Dans cet ouvrage, le théoricien de *Tel Quel* expose la théorie du développement des *textes-limites* (ceux de Dante, Sade, Lautréamont, Mallarmé, Artaud, Bataille, tous cités par les poètes québécois de l'époque), de manière à voir les motifs de leur censure mais aussi leur force de transgression. Ces textes ne sont pas fixés (à l'œuvre ou à l'auteur) mais ouverts sur le RÉEL, deviennent « conscience historique », donc se trouvent du côté de l'acte révolutionnaire en cours. La théorie de Sollers, et son vocabulaire (rupture, contextation, écriture, pratique textuelle, etc.) se retrouvent dans les écrits québécois de même nature. Théorie

13. François Charron, *Interventions politiques*, l'Aurore, 1975, p. 19.

14. Voir le dernier Normand de Bellefeuille, *le Texte justement* (les Herbes rouges, nº 34, janvier 1976).

15. André Beaudet, « Transgression », *la Barre du jour*, automne 1973, p. 4-5.

de l'écriture que Sollers, lui aussi, n'appelle plus *littéraire*, à cause de l'ambiguïté du mot, mais *textuelle*, c'est-à-dire fondée sur l'étude d'un certain nombre de *textes*, de *textes-limites* qui sont la somme d'expériences elles-mêmes *limites*, d'écrits censurés par le public ou le pouvoir, qui ont été ou sont encore refusés ou mis au ban par la culture dominante.

De la rhétorique du texte, on passe à l'expérience du texte, c'est-à-dire à tout ce qui le prépare, le nourrit, ou pour retenir encore le mot clé des *rhétoriciens* modernes : le *prétexte*. C'est sans doute la force de la *nouvelle culture* d'être d'abord une *contre-culture*, qui propose des modèles de vie, de pensée, d'existence contredisant celles du milieu ambiant.

2. L'âge de la mystique

> Je suis mystique au fond et je ne crois à rien.
>
> Flaubert
>
> Il ne s'agit plus de croire ou de ne pas croire—Il s'agit de voir.
>
> Claude Péloquin, *Eternellement vôtre*, p. 97

La mystique dont il s'agit a des particularités qu'il faut peut-être indiquer tout d'abord. Elle n'a rien de l'élévation, de l'ascension, qui qualifient la mystique religieuse. Étant avant tout laïque, sauvage et primitive, la mystique que pratiquent les poètes québécois récents a plutôt tendance à la *descente*, à l'*abaissement* vers les réalités grossières, ce qu'on a appelé l'*underground*. Si l'amour en est toujours l'essence, celui-ci devient souvent érotisme, voire pornographie; quant à la religion, elle s'alimente aux cultes ésotériques qu'aide aussi le recours aux drogues et hallucinogènes. *L'Obscène Nyctalope* qui a publié *Graffiti* de Louis Geoffroy en 1968 et *Irish Coffees au no name bar vin rouge valley of the moon* de Patrick Straram en 1972, dirait bien ce qu'est la nouvelle « nuit mystique » où les êtres ont une particulière qualité de vision nocturne, mais de vision de choses indécentes. Cette orientation « poétique » s'opposerait, dans un certain sens, à l'orientation rhétorique précédente qui se ramènerait au titre d'un recueil de Huguette Gaulin, repris comme nom d'une collection de l'Aurore, *Lecture en vélocipède* [16]. On ne travaille plus sur l'écrit, le *texte,* en vue d'une *lecture,* mais sur ce qui précède ces opérations; « le texte essai (« y compris ») de vivre [17] ».

Le recul *derrière* le texte n'indique pas une volonté de retraite du RÉEL, bien au contraire. C'est au même titre que l'écriture précède un *travail d'action politique* [17]. Mais cette fois indirectement, subrepticement, pour ainsi dire. Les signes écrits sont ceux d'un processus d'affranchissement; par leur éclatement même ils traduisent l'abolition de tout ce qui avait été un joug; suppression des interdits, des tabous, soif de liberté, morale, religieuse, sexuelle; soif de bonheur surtout, d'un bonheur *actuel,* non à venir, *concret,* non spirituel ou désincarné, *immédiat,* non à espérer. Les causes de ces transformations de mentalité sont communes à beaucoup de pays industrialisés : l'hyperdéveloppement de la société, la croissance rapide de l'économie et en même temps le constat d'échec des techniques qu'on disait prometteuses d'un monde meilleur; dépréciation de la vie où l'homme est un élément indifférent dans un système de robotisation. La réaction, que traduit la poésie « mystique », est la recherche d'une nouvelle *qualité d'existence,* que les poètes semblent trouver dans le retour aux sources primitives de la vie, aux anciens mystères chrétiens ou aux pratiques des religions orientales et dans la vie des *communes.*

Mieux qu'un exemple, Denis Vanier est la somme de tous les aspects de ce courant nouveau. Son premier recueil, *Je,* publié en 1965 par les Presses sociales de Michel Chartrand, avec une préface de Claude Gauvreau et des dessins de Reynald Connolly (du Zirmate de Claude Péloquin) devait être suivi par *Pornographic Delicatessen* (Estérel, 1968) avec deux postfaces, de Gauvreau et de Straram. Préface et postface indiquent une prise en charge mais aussi une forme de

16. Huguette Gaulin, *Lecture en vélocipède,* Ed. du Jour, 1972.
17. Patrick Straram, 4X4, les Herbes rouges, 1974.
4X4

lancement d'une comète, mieux d'une fusée. Le poète avait d'ailleurs révélé ses intentions : « L'art doit tendre à devenir un acte de terrorisme ; il nous faut tout dynamiter. » Straram écrit : « Je tiens le cri-cœur de Denis Vanier pour déflagrateur, prémonitoire et sublime au Québec. » Gauvreau, lui, classe Vanier parmi ses disciples et dans le sillage de *Refus global*. Sa poésie est *post-surréaliste* (Préface à *Je*). Mais si l'on veut comparer les deux poètes, Vanier n'utilise pas l'image *exploréenne* de Gauvreau ; il tient souvent ses moyens de dépaysement des hallucinogènes. Il a dit en boutade : « Depuis qu'on me lit, j'ai l'impression qu'on fait plus l'amour, qu'on prend plus d'acide, qu'on pose plus de bombes. » Le titre du recueil paru en 1972, *Lesbiennes d'Acid* (Parti pris) résume un peu tout cela, et dans un langage neuf qui est lui aussi une révolution

> *pour l'ultime libération des astres en nous* (p. 49).

> *Ceci est tout doucement une invitation*
> *à venir suspendre vos lèvres*
> *dans une clôture d'enfant*
> *pour que la révolution soit un piège de farine chaude*
> *une tente d'oxygène pour les indiens étouffés sous*
> [*les bisons* (p. 54).

Deux extraits de *Pornographic Delicatessen* synthétisent la démarche et le but de cette poétique : d'abord une prise de conscience aiguë de l'oppression du monde :

> *Aliénés de toutes les consciences*
> *nous sommes à deux pas du jour*
> *molestés par des troupeaux d'hiver*
> *qui croisés aux muscles des embryons de givre*
> *percutent jusqu'aux joncs de l'enfance*
> *la déchirure des drapeaux alimente la haine insoumise*
> *clandestins de la parole*
> *nos salives ne souillent à la morsure des poux de l'ordre*
> (p. 69).

Puis, plus loin, le poète se situe dans un autre monde, le sien :

> *Adossé au divin*
> *Je baise les voies radieuses* (p. 84).

L'illustration (photographique) joue un rôle de relais ou d'ancrage dans ce texte dynamiteur; elle a un double caractère et fonctionne comme une antithèse. Yves Bolduc l'a montré à propos de *Lesbiennes d'Acid* : « La maquette de la page couverture s'impose par son caractère insolite. Cette femme allongée dans les voiles, entourée de lits et de cierges, fait songer à une quelconque Ophélie. Mais une Ophélie particulière : elle sourit, ses mains tiennent un chapelet dont la croix est remplacée par la vignette d'une marque de cigarettes. Je ne peux m'empêcher d'y rapporter le texte suivant : « Les enfants se masturbent en riant / et ne fument plus d'Export A » (p. 43). Car, par rapport à l'ensemble des illustrations, cette page couverture fonctionne à la façon d'une antiphrase. Tout y est légèreté, pudeur, pureté même. Mais lorsque nous feuilletons le recueil, les voiles sont tombés, les cigarettes abandonnées; les illustrations étalent crûment le sexe, prônent la marijuana et nous mènent tout droit à la page quatre qui est l'antithèse nette de la page couverture » (*Livres et auteurs québécois,* 1972, p. 160). Il en est de même pour l'un des derniers recueils : *le Clitoris de la fée des étoiles* (les Herbes rouges, 1974) ; les illustrations ressemblent à des planches de vieux dictionnaires médicaux montrant les organes féminins; mais soudain paraissent des photos pornographiques qui détruisent le premier effet des reproductions anciennes. Comme dans les textes poétiques, elles sont la *profanation* de la femme mais également sa *libération.*

La libération sexuelle, de l'homme et de la femme, a donné lieu à des exercices poétiques provocateurs. Lucien Francœur a écrit *Minibrixes réactés,* un recueil qui a donné naissance à un « Club des jeunesses minibrixes », lequel a publié un tout petit recueil : *la Libération technique de Suzanne Francœur* (1973) sous le pseudonyme de Machine gun susie. Ce milieu ne semble pas une réunion d'éphèbes et de Vénus, mais bien plutôt de violents, de passionnés et de déchaînés sexuels. « Je suis un bum d'acide et pas un intellectuel français », écrit Francœur. Mais plus loin il déclare :

« Je suis le Arthur Rimbaud (...) de la poésie[18]. » Dans *Snack Bar* (les Herbes rouges, 1973) il fait un anagramme avec LSD[19], réunissant *L*ucien *S*uzanne et *D*eath, comme dans une sorte de triangle où la mort jouerait le rôle du tiers destructeur. On en trouve une autre explication dans un poème anglais de *la Libération* :

> *Come in free*
> *take what you want*
> *have fun have gun*
> *to kill*
> *cheap Susie.*

Cet amour-là, on le voit n'est pas heureux, mais tragique; il a un côté morbide, instable, toujours en mouvement et en rupture. Au début de *Drive-in* publié en 1976 à Paris chez Seghers, Francœur écrit :

> *des malaises de cerveau*
> *avec une fille chaude comme un juke-box*
>
> *(i.e. Machine Gun Susie*
> *une fille belle comme une T-Bird '59)*

Les deux *comme* (comparatifs) renvoient à des choses du monde de ce poète : le juke-box et l'auto. À quoi on peut ajouter la moto et le rock. Le texte de présentation du recueil aux Français rassemblent les éléments de cet univers : « Avec lui (Francœur), les autoroutes géantes, les stations de gazoline, les drive-in, les sandwiches recouvertes de Ketchup et d'oignons frits, les T-Shirts aux marques de bière, les filles en bottes de vinyle, le heavy metal rock font leur entrée en poésie. » Le parrain de Francœur, Vanier et Geoffroy (Louis) en France est Alain Joufroy, lui-même un poète *kid.*

Il n'y a pas d'amour heureux, on vient de le voir, mais le thème offre aussi d'autres possibilités. Raoul Duguay nous

18. Lucien Francœur, « Les Crimes de Billy the Kid », *la Barre du jour*, nº 42, p. 63.

19. Ne pas confondre avec le recueil de Louis Geoffroy, *L.S.D., Voyage* (Edition Québécoise, 1974), où le voyage (avec l'acide) est aussi érotisé : « Nuits noires d'éros où l'éros est ton corps jeté à mon visage... »

en propose certaines, qui unissent la religion, les relations sexuelles, et un calcul phonétique qui en règle parfois les ébats. *Ruts,* publié à l'Estérel en 1966, a été réédité en 1974 à l'Aurore. C'est un recueil qui chante l'amour, le plaisir physique de l'amour, l'amour et sa mécanique, dans une langue syncopée, heurtée, volontairement faite de soubresauts. *Or le cycle du sang dure donc,* qui paraît l'année suivante chez le même éditeur, est un nouveau poème d'amour, où l'érotisme englobe tous les aspects de la vie moderne, des croyances, du temps et de l'espace, des actes, des mythologies et mythes. Étonnante surtout, cette thématique érotique est associée à un vocabulaire religieux, celui de la Bible et de l'Évangile. La réitération des termes et leur fréquence, qu'indique le tableau suivant, semblent significatives pour un recueil d'environ 80 pages :
Dieu (7 fréquences), le Verbe (5), Christ (5), Ève (4), l'Esprit (3), ange (3), ciel (3), enfer (3), déluge (3), vierge (3), le Père (2), Colombe (2), le reptile (2), psaume (2), alleluia (2), pommier (2), grâce (2), manne (2) ; Une seule apparition : le Fils — Adam — le vin et le sang — baptême — bréviaire — hostie — rassembler — feu sacré — fruit sacré — rejeton de l'ombre — mal — bois croisés (croix) — calvaire — soleil de trois heures — le coq — crucifier — terre promise — mânes — kyrielle — Babel — arche — transsubstantiation — pardon — Madeleine — oindre — prophète — Fils des ténèbres — Pentecôte — lampions — ressusciter — prier — méditer — se signer — fraterniser.
En tout 107 apparitions de 52 termes religieux. Rien d'étonnant à cela, si l'on songe que le dessein de Duguay est de faire vivre son lecteur et que « la vie est prédéterminée par Dieu ». La régénération perpétuelle est d'une certaine manière une représentation de la puissance divine, du Dieu-Amour.

À côté de ce vocabulaire religieux, parfois ésotérique, parfois savant, et souvent assaisonné de grossièretés, il en existe un autre composé cette fois de deux groupes de mots : les anglais et les québécois (*joual,* pour les initiés). Denis Vanier fait un usage abondant (comme Francœur, Louis

Geoffroy et d'autres) de titres anglais pour ses poèmes : « Camomille bazooka »; « To the boston mystic strangler »; « Captain high », etc. Toute la civilisation américaine du Coke, de la *relish* moutarde, des *sundays* et des *hot dogs*, y passe, encore ici agrémentée de sacres et de jurons (dont le préféré : *Tabarnak*). Ces poètes combattent autant les tabous linguistiques que les autres. Quant au langage québécois, on y a recours avec délices surtout depuis 1970. Dans *la Catoche orange* (Parti pris, 1970), Jacques Geoffroy nous en fournit de bons exemples. Le poème « KIK pas », par exemple, qui commence comme une rengaine : « Je n'ai diplôme/ si ce n'est celui de ma première communion » :

par les temps qui courent
je zigonne le feu et mon adon pour la parlure
pourtant j'apporterai mon grément dans ta maison
pi je te planterai comme un bouleau
t'aura beau t'époumonner
se libérer
je te vendrai tes tiquettes for a honey moon
pi on partira à old orchard
moué chu game
kik pas kik pas kik pas
j'ai mis mes bas blancs et shiné mes loafers

je te paierai des hot dog all dress
pi des pizzas grosses comme des couvercles d'égoûts
au forçaille des sundays
chu willing comme une guidoune proche de l'eldorado
mais la vie c'est comme un vieux rouleau de piano
[mécanique
ça accroche à la longue à la longue à la longue (p. 45).

Comme dans *les Cantouques* de Gérald Godin, l'attrait de la lecture vient de l'assemblage de mots et expressions « poétiques » (adon, parlure, grément) qui sont immédiatement confrontés à des tournures et termes « prosaïques », ainsi que dans l'union des styles contrastés :

la mémoire recevant images rougies pour l'oubliance
autour d'un stéque
les algues étouffent nos cous maigrichons
et la voix nous manque
tabarnak... (p. 46).

Tous ces poètes, Pierre (Pierrot-le-fou) Léger les appelle : « Enfants terribles de la nouvelle culture québécoise[20]. » Animateur de spectacle (Boîte-théâtre la Relève-Québec), poète aussi, il écrit en capitales ces mots qui définissent la troupe des Vanier, Francœur, Straram, Geoffroy :

ENFANTS TERRIBLES DE L'INTEMPOREL
NOUS AVONS BESOIN D'UN AILLEURS
[VERTICAL
NOUS AVONS BESOIN D'UN AILLEURS
[FONCTIONNEL
NOUS AVONS BESOIN D'UN AILLEURS
[VEGETAL[20].

Paul Chamberland que ces mots appellent naturellement a parlé également des « En*F*ants *L*ibres du *K*ébeK » (F.L.K.) dans un manifeste[21] qui s'est doublé d'un autre : *Manifeste de l'Anarchie amoureuse*[22]. Il propose deux choses :

J'appelle
à l'insubordination
de l'Amour

et

la voie lactée
jaillit
à la jouissance de dieu[23]

Enfants terribles, anarchistes de l'amour, jouisseurs divins, ces poètes incarnent certaines des aspirations des jeunes, que Chamberland résume ainsi :

nous sommes dieu
nous sommes l'homme
nous sommes
la Réalité
Totale[24].

20. Pierre (Pierrot-le-fou) Léger, « Poésie-Information », *Hobo-Québec*, nº 18, avril-mai 1974, p. 18-19.

21. *Ellipse*, nº 6, hiver 1971, p. 48-53.

22. *Perspectives*, 10 avril 1971, p. 2-4.

23. De Paul Chamberland, *Demain les Dieux naîtront*, l'Hexagone, 1974.

24. *Ellipse*, nº 12, 1975, p. 29.

3. L'âge de la musique

> La musique seule a la puissance de nous faire rentrer en nous-mêmes.
>
> Balzac
>
> La musique en dirait plus long que tous nos rêves.
>
> Luc Racine, *les Dormeurs*, p. 45

De la musique avant (et après) *toute chose! Avant* et *après* s'entendent ici du *temps* qui permet de grouper les œuvres et de l'*espace* qui les constitue. Avant, ce sont la poésie-improvisation de jazz de Paul-Marie Lapointe, qu'on voit réapparaître dans *Tableaux de l'amoureuse* (1975)[25], et les *Poèmes et Cantos* de Gérald Godin (le Bien public, 1962) où le poète veut « faire péter la cerise des mots au butoir du cri ». Du même poète, le rythme musical de la ballade médiévale qu'on retrouve dans *les Cantouques* (Parti pris, 1966) :

J'ai mis ma peine à la poubelle
J'ai pris la main de la plus belle.

Depuis 1966, la poésie fait appel de façon plus visible à la musique, aux formes musicales, aux sonorités et aux rythmes. On sait que les poètes-compositeurs-chansonniers usent abondamment de ces éléments du langage poétique : Gilles Vigneault, Georges Dor, Raymond Lévesque, Jean-Paul Filion, qui ont publié leurs poèmes-chansons[26].

Une étude de Luc Racine, citée plus haut, explique comment le poète a adapté la musique sérielle, dodécaphonique, à sa composition poétique. Le titre est révélateur : « La parole et le chant. » Cette théorie a été mise en œuvre dans *Opus I* (Leméac, 1969) construit sur des formes musicales (*Variations I et II*) et sur une transcription poétique d'un thème musical de Anton Webern (Concerto inachevé

25. Paul-Marie Lapointe, *Tableaux de l'amoureuse*, suivi de *Une, Unique, Art égyptien, Voyage et autres poèmes*, l'Hexagone, 1975.

26. Gilles Vigneault, à ses Nouvelles Editions de l'Arc; Georges Dor, *Poèmes et chansons 1, 2, 3* (Leméac/l'Hexagone, 1968, 1970, 1972); Raymond Lévesque, *On ne veut rien savoir*, Parti pris, 1975; Jean-Paul Filion, *Chansons, poèmes et la Grondeuse*, Leméac, 1973.

de 1944-1945). On a mis en doute les résultats, mais l'expérience mérite d'être notée. Pour transposer le principe de composition sériel dans l'écriture poétique, Luc Racine propose les règles suivantes : « il suffit d'isoler des unités à chaque niveau (renversement ou non-renversement de l'ordre de succession des unités; synonymie et antonymie). Comme dans le cas de la musique sérielle, chaque structure et les règles de transformation entre les éléments à divers niveaux (et entre ces niveaux) pourraient être axiomatisées en termes logico-mathématiques » (*Quoi,* p. 48). Le poète lui-même a plus ou moins abandonné ces recherches dans le recueil paru en 1970, *Villes* (Éd. du Jour).

Il existe une musique moins techniquement agencée, mais non moins volontairement recherchée [27] : celle de Raoul Duguay. On connaît les acrobaties verbales de *Ruts* et *Or le cycle du sang dure donc* (Estérel, 1966, 1967), qui sur ce point n'ont rien à envier aux laboratoires de sons. À la manière du *Sonotron* du compositeur Xénakis, qui « accélère des particules sonores, désintègre des masses sonores, et enfin, les synthétise », Duguay invente

> le *poétron* et le divise en acoustron et en articulatron. L'acoustron est le temps acoustique à l'intérieur duquel l'expression est valorisée par la dynamique et la percussion — l'intensité et les timbres — le temps acoustique est caractérisé par la discontinuité et la momentanéité signifiées par des consonnes occlusives ou explosives bilabiales dentales et velaire (p.b.m.t.d.gn.k.g.). L'articulation est le temps articulatoire à l'intérieur duquel l'expression est valorisée par la mélodie, il est caractérisé par la continuité — l'irradiation — le rayonnement — la vibration signifiés par des consonnes fricatives (sons frottés ou vibrés) : (f.v.s.z.l.ch.j.y.w.r.) (*Quoi,* p. 24-25).

De là le théoricien-poète définit le poème : une *structure* (organisation, ici verbale, de schèmes, de formes visibles)

27. Voir la section « Méditations » de *Totem poing fermé* de Louis Geoffroy : « Batterie-Saxophone-Flûte-Piano-Batterie ». La *batterie* encadre les autres instruments et, probablement, les domine, comme elle domine le « chant » de Robert Charlebois.

sonore (formes sensibles à l'oreille, formes acoustiques) *bila-diodentale* (priorité accordée aux sonorités qui renferment des dentales et des labiales, mais répétées ou situées en groupes binaires) *fricative* (sonorités particulières qui viennent de l'utilisation de fricatives, plus haut énumérées) (qui) *scandent les rythmes intérieurs* (*ibid.*). *Babel* (et bebelle) *sonore*, a-t-on dit, dont on a les images écrites avec le *Manifeste de l'Infonie.* Dans cette direction, on peut aller jusqu'au *pur bruit,* comme le forcené *Concerto pour percussions et 40 dactylos* présenté à Montréal en 1972.

D'autres poètes sont moins influencés par les blues et le cool, le be pop, le jazz expérimental, « free » ou « third stream », ou encore par les musiques atonale, concrète et électronique. On trouve chez eux une musique moins « frappante », mais non moins apparente. Ils tendent à unir plus étroitement, et plus sensuellement, langage et musique, à faire du langage poétique d'abord et avant tout un langage musical. Non toutefois pour renouer avec une tradition, ou pour se mettre en marge d'elle, mais par une sorte de nécessité intérieure, pour se laisser aller à un penchant naturel. On distingue moins d'affinités entre poètes que des marques communes, d'ailleurs jamais évidentes de soi. Sans vouloir différencier des poètes ou les diviser par groupes, régions et sexe, je dirais que les poètes féminins et ceux de la « province », en particulier des régions de Québec et Trois-Rivières, sont restés attachés à la musique, aux rythmes musicaux du langage poétique. On songe à des œuvres importantes : celles de Suzanne Paradis, Marie Laberge, Pierre Morency, Jean Royer et Marcel Bélanger ; des poèmes publiés par Gatien Lapointe aux Écrits des Forges de Trois-Rivières [28]. Pêle-mêle, quelques beaux vers, des strophes libres particulièrement réussies, où les sonorités et les rythmes dominent :

Mara tu marcheras dans l'amorce de l'amour
un souffle de jonc aux lèvres

28. On pourrait ajouter Paul Chanel-Malenfant dont le recueil est à ce point de vue excellent (voir mon compte rendu dans *Livres et auteurs québécois,* 1976).

dans les moulures mauves du mât midi
rentrera la mort dans ses marges de pierre
(Suzanne Paradis, *la Voie sauvage,* Garneau, 1973, p. 41).

Comme ruisseaux mes amis vont
Le temps s'en va comme rivière
Nous passons tous à reculons...
(Pierre Morency, « Ballade du temps qui va », *Poèmes de la froide merveille de vivre,* Éd. de l'Arc, 1967, p. 78).

je t'aime au chant des algues et libre ma mémoire
à piller les soleils couchés dans l'œil du soir
je t'aime en paysage des lumières violées
je t'aime dans mon âge debout sur mon passé
(Jean Royer, *la Parole me vient de ton corps,* Nouvelles Editions de l'Arc, 1974, p. 52).

tu m'agrafes la face
tu m'agriffes le roupe des yeux
tu m'appelles infiniment
et tu m'éclates aux lèvres

....

ces oiseaux claquent le sang
dans l'ivoire et l'hiver
(Yves Boisvert, *Pour Miloiseau,* Ecrits des Forges, p. 31, 21).

Du fond d'une mémoire de schiste
parmi les strates et les stries
signes d'oiseau et fleurs fossiles (...)
(Marcel Bélanger, *Saisons sauvages,* Editions Parallèles, 1976).

Que conclure de ce tour d'horizon en trois déplacements? D'abord tous les poètes dont il a été question (et ceux qui ont été oubliés) ne se classent jamais dans une seule des trois divisions utilisées pour cette étude : ils ont tous quelque chose de mystique, leurs œuvres sont à la fois recherche de formes nouvelles, graphiques, figurées, musicales, et aussi retour à des traditions passées, baroque pour l'écriture, religieuse pour la pensée. Rien de tout à fait neuf donc, puisque dans presque tous les cas, il s'agit de mettre l'accent sur l'un ou l'autre des aspects du langage poétique afin d'exprimer un message personnel. Claude Péloquin, qu'il faudrait aussi ne pas laisser de côté, précise peut-être le but, avoué ou non, de ces poétiques diverses : « une recherche de l'Autre-Réalité dans l'Arrière-Réel par un possible absolu / Mouvement de pénétration d'un Ailleurs dans l'homme cosmique, à partir du réel continuellement remis en question [29] ». Au fond, il s'agit encore, après Rimbaud souvent cité par ces poètes, de *changer la vie*. Et pour cela, « pénétrer l'inconnu ». Après quoi, une bonne définition de cette poésie serait celle de Péloquin :

> *La poésie c'est ce qui crée l'impossibilité*
> *magnifique de ne pas écrire* [30].

Ou d'écrire beaucoup !

29. Claude Péloquin, *Manifeste infra*, l'Hexagone, 1967.
30. Claude Péloquin, *Eternellement vôtre*, Ed. du Jour, p. 124.

la littérature québécoise contemporaine 1960-1977

II LE ROMAN

GILLES DORION

Le roman, au Québec, malgré tous les interdits dont on avait bien tenté de le frapper depuis sa naissance en 1837, du fait qu'il portait tous les péchés de la terre et en engendrait d'autres, n'a pas été ni plus ni moins riche que les autres genres, jusqu'à la Deuxième Grande Guerre (1939-1945). Si on a considéré, sans doute à juste titre, que *Trente Arpents* de Ringuet marquait la fin d'une époque rurale et d'un long et lent cheminement dans le cercle fermé de la fidélité, on a estimé aussi qu'il annonçait des temps nouveaux, qu'il présageait un monde industrialisé et une société en plein phénomène d'urbanisation. La Deuxième Guerre mondiale accélère ce mouvement et voit les « fils du sol » envahir très rapidement la ville. Ce déracinement, puis la transplantation, parfois douloureuse et difficile, cet immense mouvement de foule, sont traduits dans un certain nombre de romans qu'il est convenu d'appeler des « romans de mœurs urbaines ».

En même temps qu'on étudiait de l'extérieur ce phénomène inhabituel, d'autres écrivains se penchent sur le problème d'adaptation à un nouveau milieu de vie, à un nouvel espace vital, devenu un nouvel espace romanesque, à un nouveau mode de vie et à des occupations différentes. Venus grossir le petit peuple d'artisans, d'ouvriers, de manœuvres, les nouveaux venus connaissent des problèmes particuliers d'intégration. Ils s'interrogent sur leur nouveau destin, sur leur qualité nouvelle. Les romanciers fouillent, scrutent, étudient leurs états d'âme, ils passent au roman psychologique, au roman « d'observation intérieure ». Les thèmes sont renouvelés en profondeur, la technique et l'esthétique romanesques se transforment peu à peu, tandis que le nombre de romans s'accroît d'une façon significative. Certes, nous n'assistons pas à une métamorphose radicale, mais, quand même, profonde : l'espace spatio-temporel a changé, mais non son expression ; les procédés d'écriture sont, pour la plupart, figés dans la tradition, mais il reste que les moyens se perfectionnent, que la technique romanesque gagne en sûreté, en fermeté, en ampleur. En l'espace d'une quinzaine d'années, le roman connaît des progrès remarquables : la structure se raffermit, l'intrigue se fait plus solide, la description des milieux sociaux, plus habile, la psychologie des personnes, beaucoup plus fouillée et juste. En somme, le romancier québécois est enfin en possession de tous ses moyens. Le roman québécois y acquiert son autonomie alors même que le peuple la cherche encore.

Cette période de maturation, résultant d'une minutieuse introspection, d'une auto-analyse impitoyable à la façon d'une inquisition, secoue, ébranle, réveille l'Homme québécois, maintenant capable d'assumer son avenir, pense-t-on. La « révolution tranquille » est amorcée par le célèbre « Désormais » de Paul Sauvé, premier ministre de cent jours, qui rejette la grande noirceur duplessiste à l'arrière-ban. Les Québécois traversent alors la plus sérieuse crise d'identité de leur histoire : leur origine les intéresse moins que leur « essence », leur existence et leur devenir. Ils cherchent à la fois des solutions politiques et administratives à leurs problèmes linguistiques, éducatifs et sociaux. Presque du jour au lendemain, pourrait-on dire, de 1960 à 1963, le « climat » social du Québec subit une transformation décisive. Le Québécois rejette sans appel les idées reçues, les interdits, les tabous, les mythes, les défenses, il n'accepte plus sa condition quatre fois séculaire de colonisé.

Devant les changements qui s'amorcent, certains groupes de pression souhaitent des actions plus rapides et plus énergiques. Après la révolution dite tranquille, suit l'époque de la contestation, de la revendication, de la révolte, de la colère, qui se traduit volontiers par la violence de certaines manifestations (bombes à Montréal) et de certains écrits, surtout ceux de *Parti pris,* résolument et idéologiquement engagé dans le nouveau combat social, qu'il livre d'ailleurs en compétition avec le groupe de *Liberté,* qui souhaite un engagement plus concret. Un peuple muet se met à parler, à torrents : c'est ce qu'un poète a fort justement appelé « l'âge de la parole ». Les écrivains en usent abondamment, tant les romanciers que les poètes, les essayistes et les dramaturges. La prise de conscience, aiguë, s'accompagne d'une ambiance d'exaltation et d'impatience que traduit le général de Gaulle, au balcon de l'hôtel de ville de Montréal, en lançant un vibrant et historique « Vive le Québec libre ! » Le climat politique et social se radicalise au fur et à mesure que le peuple constate l'inanité des efforts des gouvernants pour régler les problèmes économiques et linguistiques. Les solutions proposées au problème de la langue, les lois 63 et 22, dont on a déclaré — et le cliché en est déjà usé — qu'elles étaient des solutions colonialistes, bilinguisantes et assimilatrices au service du capital étranger des multinationales, provoquent le mécontentement général. Le peuple descend dans la rue et marche sur le Parlement. Un groupe d'extrémistes (le Front de Libération du Québec) envenime la situation en posant des bombes ici et là, à Montréal, en enlevant deux hauts personnages politiques qu'il séquestre, et en en tuant un, ce qui entraîne le gouvernement fédéral à promulguer la Loi des mesures de guerre, à la demande d'un gouvernement provincial et d'un gouvernement municipal affolés. Ce sont les événements d'octobre 1970.

Les anciennes valeurs, remises en question et soumises à la question, deviennent l'objet d'âpres discussions. Les romanciers usent du moyen privilégié de l'écriture pour exprimer leur contestation, leurs revendications et celles de leurs lecteurs. Se produit alors un triple phénomène de désaliénation, de conversion et de réappropriation. Parmi d'autres, le romancier — car l'enthousiasme pouvait facilement mener à l'autodestruction, si on n'y prenait garde — réinvente des valeurs parfois rejetées sans discernement, en formule de nouvelles. L'œuvre romanesque ne doit plus simplement raconter des faits d'une façon linéaire, elle doit dorénavant *signifier*. Le romancier participe à l'émancipation collective par l'écriture, qu'il remet elle aussi en cause dans ses moyens et ses procédés. Pour marquer la contestation, forme privilégiée de l'intervention subjective, l'auteur, le narrateur et le héros se succèdent ou s'entremêlent dans l'appropriation du « je ». Depuis 1970, surtout, les romanciers transposent le véritable défoulement collectif, qui permet la libération effrénée de puissances trop longtemps comprimées. La soupape a sauté. Pour dénoncer et rejeter des valeurs considérées comme démodées, surannées, désuètes, certains romanciers utilisent tout l'arsenal rhétorique : récit éclaté, en apparence déstructuré, en réalité, sciemment et différemment restructuré; langue agressée, blessée, torturée, avariée; ironie, satire, caricature. Une immense vague d'érotisme et de sexualité — juste vengeance exercée contre un sentiment janséniste fortement ancré et contre un vieux sentiment de culpabilité doublé de frustration — submerge une partie importante de la production romanesque. L'écriture acquiert une incontestable valeur d'exorcisme, par lequel l'écrivain se remet en cause au même titre que la société. Enfin, l'onirique se superpose ou se substitue au réel, entraînant, dans la confusion les héros, les personnes et les lecteurs, sinon l'auteur lui-même.

Plusieurs des romanciers qui inaugurent les années 60 perpétuent naturellement les thèmes, la structure et les procédés romanesques traditionnels. Gilles MARCOTTE (né en 1925) poursuit, dans *le Poids de Dieu* (1962), l'analyse de la vie intérieure, amorcée par un certain nombre d'écrivains québécois. Mais l'objet de l'étude est nouveau : un jeune prêtre, Claude Savoie, nouvellement ordonné, s'interroge sur sa vocation, son rôle et sa responsabilité. Sous la férule d'un curé autoritaire, il cheminera dangereusement d'une grève du syndicat local à la direction spirituelle d'un protégé, qu'il poussera vers une voie difficile, l'amour d'une tuberculeuse. Sa vocation sortira raffermie par ces deux expériences. Le deuxième roman de Marcotte, *le Retour à Coolbrook* (1965), partira du même point : le narrateur, dont on connaîtra le nom à la dernière ligne du récit, Maurice Parenteau, revient dans sa ville natale, Coolbrook, petite ville provinciale. Malgré son désir très net de vivre sa vie égoïste, il s'éprend de Mariette, qu'il épouse. À partir de ce jour, il se livre à une longue exploration de lui-même. Nul doute que bien des passages nous semblent aujourd'hui un peu forcés, peu convaincants, trop cérébraux. Marcotte écrit bien, mais il est certes plus à l'aise, plus naturel, dans l'essai.

Jean-Paul PINSONNAULT (né en 1923), à la suite du *Mauvais Pain* (1958), montre, dans ses trois romans *Jérôme Aquin* (1960), *les Abîmes de l'aube* (1962) et *les Terres sèches* (1964), qu'il sait écrire. Certes, son métier d'écrivain y gagne-t-il du deuxième au quatrième. *Les Abîmes de l'aube* racontent, sous forme de journal intime, les incertitudes qu'éprouve Jean Lebrun devant l'amitié un peu trouble qu'il ressent pour Laurent, et devant l'amour simple de Sylvie. L'adolescent, qui se croit inapte au bonheur, sera tiraillé entre un père plutôt mou et une belle-mère qui éprouve pour lui une aversion presque physique. Toutefois, après diverses épreuves, il retrouvera une nouvelle raison de vivre. *Jérôme Aquin,* pour sa part, décrit le rêve d'un séminariste qui allait accéder à la prêtrise, mais dont son directeur de conscience le détourne au dernier moment sous prétexte qu'il n'a pas l'humilité voulue. Anéanti, raté, pense-t-il, il doit faire face à une mère bourgeoise et à courte vue, qu'il aura déçue, et un frère aîné, un avare, en possession du bien paternel, qu'il fait fructifier, au mépris de tous et de sa femme Anne, qui attend un enfant, qu'elle perd bientôt. Les deux êtres blessés, Jérôme et Anne, s'exilent à Montréal, se rencontrent, analysent leurs sentiments et leur comportement mutuel. Jérôme, par ses arguments, empêche Anne de retourner vers son mari et l'abandonne à la solitude. Elle se suicide. Jérôme, le mauvais frère, sera chassé de la maison paternelle, le jour même de l'enterrement de sa belle-sœur. Il revient pour ainsi dire au même point qu'au début. « Le plus difficile n'est pas d'avoir mal, mais de renoncer au bonheur », conclut-il.

Les Terres sèches complètent cette trilogie de l'aventure intérieure, en présentant le désarroi du curé Jacques Montreuil, qui trouve qu' « Être prêtre, mais cela est effroyable! » Ce désarroi, et l'angoisse qui le suit, se transmettent au vicaire inexpérimenté, Jean Marsan. « On se croit des droits sur Dieu », avait déclaré l'abbé Montreuil. La vie quotidienne rappelle les deux prêtres à de dures réalités, les confronte à des problèmes dont la victime naïve sera le jeune abbé Marsan qui, après s'être imprudemment compromis, meurt, vaincu par la maladie, seul en face de son Dieu. Il importe de souligner, en plus de l'aisance du style, la qualité des images nombreuses et belles, de la description des tableaux de la nature, description qui s'intériorise peu à peu et peint les états d'âme des personnages, dévorés par l'incertitude et les passions. Les personnages se meuvent, dans les trois romans, dans un espace spatio-temporel défini, dont la moindre caractéristique n'est pas la présence fréquente de l'aube, symbole de toute résurrection, après la « descente aux enfers ».

Gilbert CHOQUETTE (né en 1929) a inscrit son œuvre dans le domaine intérieur. Dans *l'Interrogation* (1962), Charles Dumais, médecin récemment rentré de Bolivie, après un séjour de dix ans auprès des Indiens, retrouve Adrienne mariée au docteur Bernard. Confronté à son ancien amour, il se verra offrir la sœur d'Edmond Bernard comme épouse. Charles accepte puis refuse cette alliance et, après la mort subite d'Edmond, s'interroge sur son droit à un mariage possible avec Adrienne. Celle-ci tranche la question. Il retourne alors en Bolivie, seul. Son deuxième roman, *l'Apprentissage* (1966), dépasse un peu ce qu'on a appelé la « mollesse » de ton du premier, pas tellement par son style, resté un peu contraint, que par le triple apprentissage de la liberté qu'il propose à la réflexion : celui de l'amour, de son pays, de la vie. Les pages les plus vigoureuses sont sans doute celles qui concernent l'appartenance au Québec.

La lecture de la préface de *la Défaillance* (1969) signée par Henri Guillemin, dégage le sens de ce roman : « un problème aujourd'hui capital, celui du christianisme en proie à une confrontation peut-être décisive ». Ce roman permet de suivre la désintégration graduelle du « héros », Félicien Franchère, directeur, rédacteur et factotum du *Chrétien moderne,* obscure revue catholique, et de révéler l'imposture fondamentale de cet homme, en étalant ses turpitudes et la fausseté de son engagement. Après un assez long silence, Choquette a publié *la Mort au verger* (1975) dont, décidément, l'écriture et les thèmes restent dans la même foulée que les précédents. Laurent Vallois, aux velléités suicidaires, se réfugie dans un vieux manoir, près du Richelieu, où il a vite fait de confondre son destin et celui de Muriel Garon, jeune femme sous la coupe d'un sinistre vieillard. Cette double quête d'une double liberté devra passer par l'assassinat de ce dernier. Les allusions aux troubles de 1837-1838 sont directs mais discrets et rappellent les timides tentatives de l'auteur de faire plus carrément référence aux problèmes politiques et sociaux du Québec, ce vers quoi devraient se diriger ses prochains romans.

La production romanesque de Réal BENOÎT (1916-1972) est plutôt mince : un seul roman véritable, et encore, c'est à peu près une autobiographie. « Je n'invente pas d'histoire, je raconte ce que j'ai vu, senti, vécu. » *Quelqu'un pour m'écouter* (1964) raconte lui aussi une tentative de libération. Rémy décrit d'abord — pour prendre une certaine distance — à la troisième personne les « états d'âme » de l'enfant qu'il a été, traumatisé par son milieu familial et par une expérience sexuelle malheureuse. Il voudrait bien un auditeur attentif, « quelqu'un pour l'écouter ». Il fait ses valises et fuit sa maison. Un profond et inhabituel cauchemar permet au héros de scruter en profondeur le cercle familial dont les personnages défilent dans son subconscient. Passant au « je », l'auteur-Rémy décrit la scène où, s'exorcisant enfin complètement, il brise le portrait de famille, prélude à cette libération totale, qu'il poursuivait avec ténacité, et à une vie plus heureuse. La superposition constante du rêve et du réel, la subtilité et la finesse de l'écriture, le contraste des images, le rythme variable, accordé aux événements, font de ce roman unique une œuvre attachante. Il annonce plusieurs écrivains des années 70 qui, comme lui, s'interrogeront sur l'écriture et sa signification : « J'aurais voulu faire une symphonie ou plutôt une interminable rhapsodie avec variations; ce que j'ai fait est plutôt un poème symphonique. »

Pierre de GRANDPRÉ (né en 1920) a surtout exercé sa plume dans la critique littéraire, et avec un succès certain. *Marie-Louis Deschamps* (1948), un roman d'amour écrit en 1943, et en même temps une analyse de l'âme féminine, est une œuvre attachante et sincère, mais qui se ressent de l'inexpérience de son auteur. Vingt-trois ans plus tard, *la Patience des justes* (1966), sorte de grande fresque sociale des années précédant la révolution tranquille, présente, dans une forme restée tout à fait classique, les vains efforts de l'avocat Étienne Merrin, qui, parti depuis cinq ans, revient dans un Québec encore figé, mais où l'on sent sourdre une évolution à peine ébauchée. Va-t-il être repris par les « contraintes de la tribu » — à la fois familiale et sociale — dont il avait cru s'échapper durant son séjour en Europe? Les nombreuses et pénibles confrontations qu'il devra subir au sein de son milieu le laisseront en apparence vaincu devant la puissance des forces contre lesquelles il a engagé le combat, mais il entend bien se vouer désormais au droit criminel pour prendre la défense des opprimés.

Commencée avec *la Bagarre* (1958), roman réaliste et brutal, qui trahit le goût de l'auteur pour l'analyse psychologique en même temps que pour la description de certains milieux troubles, l'œuvre de Gérard BESSETTE (né en 1920) se poursuit dans la même veine avec *le Libraire* (1960). L'auteur y dénonce, par le journal d'un ex-surveillant de collège — un pion —, l'hypocrisie d'une petite ville de province, qui se manifeste avec acharnement lorsque l'apprenti-libraire, Hervé Jodoin, a le malheur (!) de vendre un livre de Voltaire à un étudiant. *Les Pédagogues* (1961) poussent encore plus loin l'analyse en présentant un groupe de professeurs aux prises avec un directeur à l'esprit étroit et réactionnaire. Sous l'impulsion de Sarto Pellerin, les personnages sont amenés à prendre conscience d'une servitude intellectuelle qui s'étend sur plusieurs plans, mais ils n'oseront s'engager trop loin, car ils ont peur. Le romancier profite de la présentation de son milieu pour exercer sa « manie psychologique » — comme on disait de Paul Bourget — en pénétrant au plus intime des êtres. Il s'interpose fréquemment pour livrer sa pensée sur les thèmes nombreux qu'il développe. Pellerin ne réussira cependant pas à secouer suffisamment ses collègues. Il sortira de sa révolte brisé professionnellement et psychologiquement.

La parution de *l'Incubation* (1965) souligne le chemin parcouru par l'auteur dans la recherche de la technique romanesque. Rompant délibérément avec la structure conventionnelle de ses trois premiers romans, Bessette montre brillamment comment le discours épouse le cheminement intérieur de son personnage-narrateur. Gordon livre au narrateur, dans un « débit pâteux », « d'une façon labyrintheuse fragmentaire » ses confidences amoureuses. Le dynamisme de la phrase — sans ponctuation —, le rythme du monologue entraînent lecteur et narrateur dans un mouvement tel qu'ils sont précipités vertigineusement vers la fin, le suicide de Néa, auquel ils assistent impuissants. Le narrateur, « échoué en qualité de bibliothécaire » de l'Université de Narcotown, parmi des « rayons labyrintheux catacombaux », a vainement tenté d'émerger de cet univers souterrain en même temps que Néa Antinéa. *Le Cycle* (1971) poursuit plus loin encore la même recherche formelle, en présentant sept personnages monologuant devant le cercueil du « cher disparu », et livrant les obsessions de leurs complexes. Enfin, *la Commensale* (1975), depuis longtemps annoncée, confirme le penchant naturel de Bessette pour la psychanalyse, mais s'inscrit mieux entre *les Pédagogues* et *l'Incubation*, celle-ci constituant le sommet de l'œuvre « bessettienne », sommet qu'il aura sans doute peine à surpasser lui-même.

Le lancement de la revue *Parti pris* en octobre 1963 et la fondation de la maison d'édition du même nom en février 1964 sont un moment capital dans l'évolution de la société québécoise et de son roman. « Entreprise de démystification », *Parti pris* lutte « pour un État libre, laïque et socialiste » (*Parti pris*, vol. 1, nº 1, octobre 1963, p. 4). « La parole, pour nous, a une fonction démystificatrice ; elle nous servira à créer une vérité qu'atteigne et transforme à la fois la réalité de notre société » (*idem*, p. 2). Aussi, « par rapport à la révolution qu'il s'agit de réaliser, *Parti pris* aura[-t-il] un rôle critique et réflexif » (*idem*, p. 4). La sourde révolte qui grondait durant la révolution tranquille ne s'est pas apaisée. *Parti pris* veut en être le creuset où se concentrent toutes les énergies. En rupture radicale avec le passé, il refuse la stagnation, l'ambivalence, l'ambiguïté. Il lutte pour l'indépendance politique et économique du Québec. La libération doit être globale, attaquer sur tous les fronts, la prise de conscience collective devant déboucher sur la révolution nationale et économique du Québec (*idem*).

Une fois défini, ce programme sera sans relâche discuté, remis en cause, redéfini, structuré, restructuré. Des collaborateurs prestigieux, solides, convaincus, aideront les « engagés » à effectuer le meilleur cheminement possible dans cette considérable entreprise de revendication et de désaliénation. Les premiers romanciers qui ont pris part à cette entreprise (Girouard, Jasmin, Godin, Renaud, Major) ont suscité la prise de conscience des problèmes en usant d'une langue volontiers abâtardie, croyant, par cette caricature du parler populaire, provoquer un éveil brutal, un sentiment d'urgence devant les solutions à adopter, et opérer une vigoureuse purge, une puissante catharsis, un nettoyage drastique (c'est le cas de le dire !). Ce « laxisme » conscient identifiera — hélas ! trop longtemps — les romanciers de *Parti pris*, et les nouveaux collaborateurs subiront une même condamnation globale, à ce niveau.

Celui qui, le premier, brisa les ponts, fut Laurent GIROUARD (né en 1939), avec *la Ville inhumaine* (1964)

« roman documentaire », éclaté en mille fragments, mettant en scène la quête assoiffée de liberté et d'humanité d'Émile Drolet à la recherche de son « essence » : « Je vivais en un état primitif, en marche vers la conscience. » Il continue l'interrogation angoissée et torturante d'un peuple incertain : « Croyez-vous qu'il se peut qu'un homme soit tué par son peuple? D'une mort lente, silencieuse et sûre? Par strangulation? Au niveau du cœur? Près du foyer de sa pensée? »

Jacques RENAUD (né en 1943) poursuit la même analyse de désaliénation et de révolte dans *le Cassé* (1964), qui raconte quelques épisodes de la vie d'un chômeur, Ti-Jean, réduit à ses dernières ressources, et qui s'insurge contre sa condition et celle de ses semblables. « Son élément, c'est la bagarre, une ville hostile, la violence. » « Insécure », il tente de se défouler d'abord sexuellement avec Philomène, mais celle-ci le trahit avec Bouboule — un ami! — puis avec une fille. Il plante un tournevis dans le cou de Bouboule, mais il continue d'errer par la ville, sans avoir résolu son problème, sans avoir modifié quoi que ce soit à la situation dans laquelle il se débattait. Il est toujours « cassé ».

Quant au *Cabochon* (1964) d'André MAJOR (né en 1942), il demeure dans la ligne traditionnelle, mais développe le thème de l'aliénation telle que vécue par un adolescent en rupture de ban avec sa famille conformiste, la société aliénante, les idées reçues. Comme le soutient l'auteur dans l' « Avertissement », « ce roman est inoffensif, pas méchant une miette, et n'est que l'histoire d'un étudiant qui tente de sortir de la médiocrité ambiante ». La vie d'Antoine n'est qu'une longue suite de départs : il quitte le collège classique pour le collège des frères, renonce à son travail à temps partiel à la pharmacie, abandonne ses études, s'embauche dans une boulangerie comme homme à tout faire, quitte la maison, perd son emploi. Il se cherche du travail dans le Nord. « La vie, d'après ce que je vois, c'est l'art de devenir chien ou de se laisser mordre par les chiens. Je cherche le moyen d'échapper à ça, de sortir du cirque. » Mais c'est l'échec lamentable. Vaincu par la fatigue, le froid, la faim, il se laisse ramener à la maison. On assiste à la répétition obligée de la parabole de l'enfant prodigue. Antoine rentre dans le rang et accepte une minable position de journalier que son père lui a trouvée. Le roman finit un peu « en queue de poisson ». La révolte a, pour ainsi dire, avorté. Il est bien clair que, faisant suite au roman de Girouard, celui-ci est beaucoup plus modéré, moins violent, moins brutal, même s'il procède à la même dénonciation.

Ayant rompu avec *Parti pris,* André Major publie en 1968 *le Vent du diable,* dont l'écriture diffère quand même assez peu du *Cabochon,* surtout dans les dialogues, mais qui s'en distingue par l'intrigue amoureuse. À travers la nature à la fois sauvage et tendre, attirante et sournoise, Albert-le-Calme est tiraillé entre l'amour de sa femme Marie-Ange, qui en attend un enfant, et la Verte, qui a abandonné Tom (Patte-Croche), le demi-fou. Tom se met à la poursuite de la Verte, avec une obstination farouche, mais déjà Albert, le corps incendié par un amour délirant, remporte la course sur Tom, qui se jette sous les roues d'un camion. Ce poème d'amour et de haine est en quelque sorte gâté par un insolite « Carnet bleu » où l'auteur, qui s'identifie à Albert, vient s'expliquer, en rappelant en vrac un tas de souvenirs d'enfance et d'adolescence, qui, à la vérité, rompent le charme.

Par la suite, pendant six ans, l'auteur élabore, nourrit et amplifie une trilogie remarquable, *l'Épouvantail* (1974), *l'Épidémie* (1975) et *les Rescapés* (1976), dans laquelle il adopte une technique romanesque somme toute traditionnelle. Cette chronique de « déserteurs », présentée en triptyque, en même temps qu'elle situe l'action dans un même village d'« habitants », Saint-Emmanuel de l'Épouvante, ramène la même jungle de poursuivants et de poursuivis, dans un climat de violence inouïe, de rapports brutaux entre les êtres, parmi lesquels Momo et l'inspecteur Therrien se disputent la vedette. Cette puissante fresque en trois volets s'appuie sur une écriture drue, grouillante d'une vie animale, au souffle profond. Le talent de Major s'est affermi. N'a-t-il pas atteint, cependant, les limites de la violence verbale? La description brutale d'une société aliénante, la dénonciation d'un microcosme, où les êtres s'espionnent, s'entredéchirent, se trahissent, se haïssent, n'ont-elles pas atteint leur apogée?

Depuis 1960, Yves THÉRIAULT (né en 1915) a publié vingt romans, sans compter autant de livres pour la jeunesse, une dizaine de livres de contes et quelques récits et pièces de théâtre. De 1944 à 1960, il comptait déjà six romans et un recueil de contes à son actif. Il n'est donc pas question ici de résumer chacun des romans et d'en faire ressortir les caractéristiques principales, mais plutôt de tenter de les grouper au moins selon leur aire géographique ou ethnographique, d'en dégager les thèmes fondamentaux et les qualités de style.

Un premier groupe s'impose, c'est une trilogie esquimaude : *Agaguk* (1958), *Tayaout fils d'Agaguk* (1969) et *Agoak : l'héritage d'Agaguk* (1975). Un deuxième groupe, que l'on pourrait désigner sous le nom de tétralogie amérindienne, comprend : *Ashini* (1960), *le Ru d'Ikoué* (1963), *Mahigan* (1968) et *N' Tsuk* (1968). Enfin, une dernière catégorie est consacrée aux « Blancs » : par exemple, *Cul-de-sac* (1961), *les Commettants de Caridad* (1961), *les Temps du carcajou* (1965) et *Moi, Pierre Huneau* (1976).

Les thèmes, cependant, ne correspondent pas nécessairement à ce classement. Les principaux critiques de Thériault ont voulu voir dans ses romans des personnages partagés, déchirés entre la nature primitive et la civilisation du Blanc (*Agaguk, Agoak*). On y a décelé en outre un difficile équilibre entre la violence (*les Temps du carcajou, Kesten, l'Appelante*) — virile, masculine — et la tendresse (*le Ru d'Ikoué*) — féminine —, entre l'*animus* et l'*anima*. Plusieurs symboles représentent ce conflit, par exemple le soleil, qui figure les forces mâles, de même que les bêtes; la nature, avec l'eau (rivières, lacs), les forêts, les plantes, représente les valeurs féminines. D'autres enfin y voient un conflit entre parents et enfants (*Agaguk, Tayaout, Cul-de-sac*), s'exerçant spécifiquement contre le père, la punition du fils résultant en la mutilation ou la mort de l'un ou de l'autre (*Agaguk, Tayaout, Agoak, Mahigan*).

Certains héros de Thériault, écartelés entre des forces contraires, tentent de s'affirmer en ayant recours à la force destructrice, à la violence gratuite et quelquefois sadique (*les Temps du carcajou*). La sexualité est une forme de cette violence et se traduit fréquemment, d'une façon paradoxale, par le refus de la femme, qui n'est acceptée finalement que pour répondre à ce désir instinctif et fondamental. D'autres aspirent à une vision élargie du monde, en quittant leurs réserves, tellement limitées et limitatives, en refusant les lois et coutumes indiennes, en fuyant la civilisation des Blancs (*Tayaout, N' Tsuk, Ashini*). Où retrouver la pureté primitive, le rythme immensément large de la vie sinon dans la nature vierge, généreuse et fécondante? (*Le Ru d'Ikoué, Mahigan, Antoine et sa montagne*). Toutefois, ce retour aux sources, aux origines premières de l'homme, les ramène parfois à l'animalité, à l'instinct primitif.

Quant au style, la question semble plus complexe. Thériault, en effet, est capable de jouer sur plusieurs registres. Si on lui a reproché quelques œuvres écrites à la hâte, de même que des maladresses dans ses premiers romans, cela s'explique par le fait qu'il fallait vivre et aussi que Thériault a acquis sa maîtrise du style par son propre apprentissage de l'écriture et par de nombreuses lectures. Autant certains romans nous paraissent-ils écrits avec un style abrupt, haché, autant dans ces mêmes romans pouvons-nous trouver des passages éminemment tendres et lyriques, d'une délicate sensibilité. Partir à la découverte de l'œuvre de Thériault, c'est accomplir un voyage toujours intéressant dans le monde de l'imaginaire.

Un des écrivains importants de sa génération, Claire MARTIN (née en 1914) a apporté à sa démarche romanesque une sincérité et une conviction peu communes. Profondément engagée dans la revendication sociale, que laissait déjà présager son recueil de nouvelles *Avec ou sans amour*, et que cristallisent ses deux livres de mémoires d'enfance et d'adolescence, elle aborde le roman comme l'expression d'une confidence : « Pour moi, un roman c'est une histoire dont les personnages ne sont plus capables de garder le secret. » Et les secrets que veulent nous faire partager ses personnages sont des secrets d'amour. D'ailleurs, y a-t-il un autre sujet de roman? demande l'auteur. Aussi a-t-on l'impression qu'elle a écrit trois fois le même roman, montrant l'amour et ses maladies, l'incommunicabilité parfois égoïste des êtres. Dans l'un et l'autre de ses trois romans, maîtrise de la structure romanesque, finesse d'analyse, éclat du style, merveilleuse harmonie de la langue française!

Doux-amer (1960) raconte, sur deux plans qui se superposent, puis s'entremêlent, la longue liaison routinière et sans histoire qui s'est établie entre une jeune romancière et son éditeur. Douze ans de bonheur et d'habitude s'effritent lorsque Gabrielle Lubin subit le coup de foudre pour un « jeune beau », Michel Bullard, et l'épouse. L'égoïsme repoussant de celui-ci et ses incartades amoureuses réduiront le mariage en cendres. À point nommé, d'ailleurs, Bullard est tué dans un acident de la circulation. L'éditeur tente un rapprochement auprès de Gabrielle. Tous les espoirs sont permis. La double perspective narrative résulte du récit de l'éditeur, qui revit ses douze ans de bonheur tranquille, éprouve (au présent) des sentiments résultant d'événements passés, puis lit le manuscrit de Gabrielle, où celle-ci étale sans pudeur et sans pitié le même récit. Les deux dernières pages du roman annoncent cependant un avenir plein d'espoir.

Quand j'aurai payé ton visage (1962) juxtapose avec la même habileté, la même qualité d'écriture, la même sensibilité, le double récit du couple Catherine-Robert. Depuis leur rencontre éblouissante, le jour des fiançailles de Catherine avec le frère de Robert, les événements entourant le mariage Catherine-Bruno confirment l'existence de l'amour entre Robert et Catherine. Celle-ci a tôt fait de quitter son mari. Une nouvelle vie commune s'amorce, remplie d'embûches, d'insécurité matérielle et morale, jusqu'à la crise finale où, enfin, Robert assumera pleinement cet amour, tandis que Bruno se sera lié d'amitié avec son frère. Ce double récit, vu à travers deux perspectives, est assorti, en filigrane, des commentaires d'abord ébahis, étonnés de la mère de Robert et Bruno, ensuite plus fermes et raisonnés, qui nous révèlent le drame intérieur d'un mariage manqué.

Son dernier roman, *les Morts* (1970), constitue une réussite formelle et une analyse hors pair. Une femme entreprend avec une confidente qui n'est autre qu'elle-même un dialogue intérieur qui la fait osciller constamment entre l'amour du « premier du nom » et celui de « l'autre du même nom ». Une lettre qu'elle avait adressée au premier lui revient avec la mention « Décédé ». Elle se livre alors à une subtile analyse de ses sentiments sur l'un et l'autre, de même que sur une foule de sujets qui assaillent son esprit en cette occurrence. Elle se garde bien, à la fin, d'ouvrir l'enveloppe qui lui revient et de relire ce qu'elle avait écrit. Ce double jeu avec une interlocutrice à la fois réelle et imaginaire, qui n'est en somme que la narratrice, est mené avec une adresse où la qualité du style et la magie du mot le disputent à l'étude des points de vue exprimés sur la guerre, l'amour, l'écriture. Il est dommage que l'écrivain se soit retiré — temporairement — du domaine de la création littéraire.

L'œuvre de Louise MAHEUX-FORCIER (née en 1929) développe un univers raffiné où s'entrecroisent des amours passionnées, parfois interdites, où rivalisent, en chassé-croisé, amants et femmes, maris et amantes. Selon l'auteur, « *Une forêt pour Zoé* 1969 est le troisième volet d'un triptyque. Celui du milieu. Sur lequel je voudrais replier *Amadou* 1963 et *l'Île joyeuse* 1964. Du blond, du noir et du rouge, d'Anne à Zoé en passant par Stéphane, je n'ai voulu qu'un seul thème et qu'une seule dorure. Qu'une seule encre pour écrire mon chemin en diverses ramures et m'y perdre avec toi. Cela s'appelle : une obsession. Cela s'appelle aussi : l'enfance ». Ce thème de « l'éclaboussante enfance » forme le motif principal de ce monde d'adultes qui sont restés accrochés par leurs souvenirs, par leurs rêves, par leurs regrets aussi, à l'âge tendre, mais non plus naïf. Le cycle accompli dans ses trois premiers romans s'est ouvert avec *Paroles et musiques* (1973) dans lequel l'écrivain débouche sur le monde adulte des adultes et semble faire le point.

Une sensibilité aiguë et délicate, un don d'observation infiniment juste; une somptuosité du style, un foisonnement d'images et une richesse de vocabulaire remarquables. La magie verbale et la musique intérieure promènent le lecteur dans un univers fascinant où l'on sent la vie battre sous la peau, où l'on entend les sons envahir les oreilles, où l'on goûte aux plus délicieuses saveurs. L'œuvre romanesque de Louise Maheux-Forcier, composée d'une profusion de touches et de demi-teintes, des nuances les mieux assorties, dotée d'une écriture ciselée, se double depuis quelques années d'une œuvre dramatique écrite pour la télévision, dont la qualité ne se dément pas.

L'œuvre de Marie-Claire BLAIS (née en 1939), touffue, dense et riche, va de la poésie au théâtre et au roman. En vingt-six ans, elle a écrit treize romans. Venue très tôt à l'écriture, elle a atteint rapidement la célébrité avec *Une saison dans la vie d'Emmanuel,* qui mérita le prix Médicis en 1966. Ses trois premiers romans, *la Belle Bête* (1959), *Tête blanche* (1960) et *le Jour est noir* (1962) mettaient en scène des adolescents promis à la révolte, perdus encore dans leurs rêves imprécis, dont la violence latente s'exprimait beaucoup plus (et beaucoup trop, selon certains moralistes) par la rencontre inassouvie des corps, heureusement (?) tempérée par une poésie sous-jacente. *Les Voyageurs sacrés* (parus en 1969), œuvre de grande qualité, s'inscrivent dans la première « manière » de Marie-Claire Blais. Deux artistes, tout en se disputant une femme, se disputent l'immortalité de l'œuvre d'art.

Avec *Une saison dans la vie d'Emmanuel* (1965), qui n'échappe pas à la poésie et à une certaine distanciation due à l'humour et à l'ingénuité innocente, Marie-Claire Blais se révèle capable de raconter les faits les plus sordides et les plus crus sans un frémissement. Roman controversé, s'il en fut, il raconte la « venue au monde » d'Emmanuel qui, les yeux à peine dessillés, observe et décrit la vie quotidienne de son univers, de sa jungle familiale, dominée par la toute-puissante Grand-Mère Antoinette, d'une part, et polarisée par le cynique et génial Jean Le Maigre, d'autre part. La présentation brutale et réaliste de la misère, l'étalage à la fois impudent et objectif de la perversion assurent à ce roman une vitalité telle que la révolte des personnages n'apparaît pas comme larvée, mais semble s'accomplir presque joyeusement, dans un alerte défi à la société étouffante.

L'Insoumise (1966) et *David Sterne* (1967) continuent dans la même veine. Dans le premier, Madeleine, tombée par hasard sur le journal de son fils Paul, qui s'y était créé un univers selon ses aspirations, met en doute son propre bonheur. Elle s'interroge sérieusement, tandis que Paul, appuyé par son ami Frédéric, s'insurge contre un père médiocre, qui voudrait le faire à son image. La mort de Paul ne résoud rien et le couple Rodolphe-Madeleine devra poursuivre sa recherche du bonheur. Avec *David Sterne,* on atteint au paroxysme de la révolte. David et son ami Rameau vont essayer d'« embrasser tous les vices et de s'éteindre... » Ils y réussiront.

Dans ces premiers romans, on trouvait des traits de génie d'une adolescence précoce. C'était le Marie-Claire Blais « première manière ». Depuis *Une saison...*, on se trouve plongé en plein dans le réel. Le rêve a fait place à la réalité. L'écrivain bâtit une espèce de comédie humaine à la Balzac — dont elle se réclame d'ailleurs — en se livrant à une espèce d'investigation psychologique.

Quant au triptyque *Manuscrits de Pauline Archange* (1968), *Vivre! vivre!* (1969) et *les Apparences* (1970), il manifeste une linéarité exemplaire en suivant les pas d'une enfant jusqu'à son adolescence, d'une enfant « méchante », « mauvaise » (lui dit son père), d'une précocité gênante, aux prises avec des parents et des maîtres peu compréhensifs et sévères, qui étouffent sans cesse les élans spontanés de la vie.

Avec *le Loup* (1972) et *Une liaison parisienne* (1975) — entrecoupés d'*Un Joualonais, sa Joualonie* (1973), roman joual raté, parce que l'auteur tentait maladroitement de s'impliquer dans la société québécoise — Marie-Claire Blais, qui vieillit en même temps que ses personnages, est arrivée aux analyses de l'âge adulte. Les deux étudient l'amour, l'un, l'« amour masculin », l'autre, l'amour tout court. Le jeune « loup » Sébastien tente de s'apprivoiser à l'amour humain. Quant à Mathieu Lelièvre, son aventure galante démontre sa naïveté et son inexpérience. L'un et l'autre se corrigeront-ils?

Roch CARRIER (né en 1937), qui a commencé sa carrière d'écrivain par la poésie en 1956 et l'a poursuivie par des contes en 1964, a abordé le genre romanesque avec *la Guerre, yes sir!* en 1968. Les deux romans qui suivront, *Floralie, où es-tu?* (1969) et *Il est par là, le soleil* (1970) formeront avec le premier une trilogie ordonnée autour de la famille Corriveau et du petit voisin Philibert, qui assiste à la veillée au corps du fils Corriveau tué à la guerre en allant pisser (!), qui se fait botter le derrière copieusement par son père, Arsène, le boucher et fossoyeur; qui fuit la maison dans l'espoir de jours meilleurs et qui meurt bêtement dans un accident de la route. Au centre du triptyque, la première nuit d'amour de l'étrange couple Corriveau. Alternance tragicomique de la vie et de la mort : la veillée au corps du fils Corriveau se transforme en une espèce de rabelaisienne fête au village, où pleurs et rires succèdent aux prières et aux blasphèmes. « Il vault mieulx pleurer moins, et boire dadvantaige! » (Rabelais). C'est bien à quoi tout le village se consacre jusqu'à la mise en terre, pendant que le jeune Philibert, « tanné » d'être rossé, détale.

Si le talent de conteur de Carrier se confirme, celui du romancier prend également de l'ampleur et de la vigueur. *Le Deux-millième Étage* (1973) décrit l'inutile tentative de Dorval qui, en essayant par tous les moyens imaginables (et même inimaginables!) de s'opposer à la destruction de l'immeuble qu'il habite à Montréal, pousse à l'extrême la lutte d'un homme seul contre les « capitalistes » ligués ensemble et ceux qui le deviennent. Constat d'échec encore une fois, comme dans ses romans précédents. Mais encore, même verdeur du vocabulaire, même truculence verbale, même rythme endiablé de l'action et de l'écriture. Les référents sont sensiblement les mêmes : il s'agit de résister! La guerre, la mort, l'amour, la vie, la violence tacite et expresse (plutôt expresse que tacite) engendrent incompréhension, mépris, révolte. L'espace romanesque s'est à peine modifié.

Le Jardin des délices (1975) ramène heureusement les personnages à la campagne, personnages constamment tiraillés entre l'or et l'amour. Ils succombent alternativement à l'un et à l'autre, dans un tourbillon étourdissant, dans une sorte de foire indescriptible (mais combien puissamment décrite!). Comme dans ses autres romans, Carrier donne la pleine mesure de son talent de romancier et de conteur, dans une œuvre dense et riche, par la qualité incomparable du style, la vigueur extraordinaire des personnages hauts en couleur, par un comique d'une rare gravité. Cette gravité se retrouve, particulièrement émouvante, dans son dernier roman, un roman-essai, *Il n'y a pas de pays sans grand-père* (1977). Maintenu solidement rivé à sa chaise berceuse, Vieux-Thomas se livre à une longue rétrospection sur sa vie de bûcheron et de terrien. Son cœur meurtri et son esprit encore lucide se révoltent devant les traditions qui se perdent et les habitudes de respect, d'amour et de foi qui disparaissent peu à peu. Le rythme, lent, jusque-là marqué par la chaise berceuse, se précipite, lorsque son petit-fils préféré est mis aux arrêts, lors d'une manifestation contre la reine d'Angleterre, venue saluer (ou narguer?) ses sujets du Québec. Devenue, dans sa rébellion, pirate d'autobus, il tue le conducteur récalcitrant, pour être enfin interné dans un asile d'aliénés. Par ce livre bouleversant, écrit avec amour, qui montre la patiente continuité de la pensée de Roch Carrier, celui-ci atteint toute sa plénitude et sa maturité.

Solidement engagé dans le milieu social par ses multiples occupations de poète, de cinéaste (son gagne-pain quotidien), d'écrivain radiophonique, de président de l'Union des écrivains, Jacques GODBOUT (né en 1933), manifeste une profonde et rare lucidité dans tous les domaines, et dans son œuvre de romancier, également. Celle-ci s'ordonne, comme il le suggère lui-même, en une première trilogie, *l'Aquarium* (1962), *le Couteau sur la table* (1965) et *Salut Galarneau!*

(1967). Dans le premier, le narrateur — partant d'une expérience vécue par l'auteur — assiste, dans un pays noyé d'ombres et d'eau, à une tentative révolutionnaire. Déjà, la structure binaire y apparaît, dans un mouvement de lent balancier, où se superposent ou s'entrecroisent l'action en devenir et les brèves fulgurances du souvenir. Les personnages larvaires croupissent dans *la Casa occidentale* et, en attendant de se libérer de leur « aquarium », trompent leur ennui mortel en se livrant aux loisirs de l'amour, du tabac, de la conversation. Seul le narrateur parviendra à se délivrer, car, à point nommé, survient Andrée, la femme d'un collègue mort enlisé dans les sables, dont l'amour soudain et imprévu le tire de son cloaque.

Le Couteau sur la table marque le cheminement de l'auteur, en ce qu'il plonge ses personnages — et son lecteur — dans le contexte québécois. L'intrigue, assez mince, pourrait se résumer ainsi : recherché par la police, un jeune Québécois retrouve une jeune Canadienne anglaise, Patricia, dont il s'était épris dix ans auparavant. L'hiver long et calfeutré les réunit dans des lieux variés, mais où l'impression du « clos » et du figé l'emporte, malgré les rappels des années et des lieux antérieurs. Cette liaison s'achèvera brutalement, lorsque le narrateur-héros, à la suite de longues méditations sur le Québec englué dans les problèmes de langues, de terrorisme, d'amour, mettra fin avec un couteau à la vie de son amante, dans un geste plus symbolique que gratuit. La jolie comptine bretonne qui précède le roman trouve un pendant paradoxal dans la fin violente et triste du récit, qui s'achève aussi par la mort d'un veilleur de nuit tué par une bombe felquiste. Le mouvement de l'ensemble est encore dominé par une double structure superposée, les souvenirs étant exprimés dans des parenthèses ou des crochets et dans des phrases inachevées, tandis que l'action est marquée par un style rapide, une numérotation saccadée, l'emploi, obligatoirement hybride du français, de l'anglais, du joual et du parler populaire. Ce roman se veut « une approximation littéraire d'un phénomène de ré-appropriation du monde et d'une culture », déclare l'auteur.

Quant à *Salut Galarneau!*, c'est vraiment le sommet de la trilogie. Il raconte, dans un style alerte, direct et nerveux, au verbe souvent gavroche, les ambitions du Roi du hot-dog que tente irrésistiblement le complexe désir de vivre et d'écrire, de « vécrire ». Après avoir essayé de vivre pleinement, il élève autour de lui les hauts murs d'une maison, afin de s'isoler de la vie pour mieux écrire. Mais, il avait pris soin de conserver une échelle pour sortir de sa cage, car la séparation entre la vie et l'écriture n'est pas possible.

Le roman qui suit, *D'amour P.Q.* (1972), est, selon l'auteur, « l'histoire de la littérature québécoise des années 60 en un seul livre. C'est son manuel de littérature ». Une dactylo délurée, vivant en appartement avec une autre aussi délurée, transcrit à la machine un roman d'amour en train de s'écrire, celui de Thomas D'Amour, et participe, dans une sorte de création conjointe, à sa facture et à sa transformation graduelle. Superbe désacralisation, démystification et démythification de l'acte d'écrire et de l'acte d'amour! « Des ciseaux, du scotch tape, de la colle, deux dictionnaires, une carte postale, un coupe-papier [...] c'est pas de la littérature, c'est de l'artisanat. » L'auteur accompagne ses délires créateurs des fables (mythes) de Jacques le Matamore, du Fantôme, de Tarzan, bandes dessinées sorties tout droit de son enfance, et de prouesses au lit avec Mireille. L'aventure, en apparence loufoque, d'un entrain irrésistible, se termine par une entrevue radiophonique, qui a lieu après le lancement du livre, avec l'Auteur et sa « collaboratrice ». Celle-ci tient à mettre les points sur les i et à exprimer son opinion sur le langage, l'écriture, l'écrivain et la littérature : « [...] les mots ne t'appartiennent pas : le langage est une richesse naturelle nationale [...] »; « t'es l'aiguille du gramophone [...] ». « Un écrivain, c'est pas plus important qu'une secrétaire, oké? » L'humour verbal, la crudité du vocabulaire et de certaines scènes ont étonné les moralistes. S'il y avait encore des tabous, des handicaps à l'acte d'écrire, Godbout les a fait sauter, et a, ainsi, fait œuvre d'historien de la littérature québécoise et œuvre de littérature et d'amour.

L'Isle au dragon (1976) constitue, selon l'auteur, *l'Aquarium* d'une nouvelle trilogie. Si les Français attardés n'y ont vu « qu'un plaidoyer écologiste » pour la défense de l'Île verte, dont des Américains voulaient faire un cimetière de déchets atomiques, Godbout s'est attaché plus particulièrement, quant à lui, au Dragon, « un prétexte à la construction d'un univers fantastique ».

La production romanesque d'Hubert AQUIN (1929-1977) tient en quatre romans, dans lesquels l'écrivain a donné pleine mesure. Lui qui contestait déjà, dans *Parti pris* (janvier 1964), sa profession d'écrivain, n'a pu s'empêcher de contester les conditions faites à l'écrivain et à l'homme, en s'enlevant la vie. Il confiait volontiers que *Neige noire* était son dernier roman. Il estimait sans doute avoir accompli son double rôle.

À quoi tient l'incoercible fascination qu'exercent sur le lecteur les romans d'Aquin ? À plusieurs facteurs conjugués : imaginant le lecteur penché au-dessus de son épaule (quel « challenge » pour un auteur de romans « policiers » !) au moment où il écrit, il établit le contact direct entre l'écrivain et le lecteur, entre écriture et lecture, deux fonctions qui s'exercent simultanément, ou qui devraient s'exercer simultanément, le lecteur ne procédant qu'à une réécriture, à une réappropriation du texte, à « une sorte de réversion de l'écriture », selon les mots mêmes de l'auteur. D'autre part, tout en manifestant un respect entier pour ses lecteurs, il cherche à les mystifier, « mais en leur donnant une récompense [...] : c'est que si eux comprennent bien ce jeu, en réalité, ils finissent par le dominer ». Il sollicite donc leur complicité, dans des aventures policières ou d'espionnage souvent échevelées ou, pour le moins, insensées et insolites. Que l'écheveau soit ou non démêlé, cela n'a aucune importance. Ce qui compte, c'est l'engagement sans réticence des lecteurs dans son univers ludique. L'auteur invite son lecteur en lui disant : « Viens jouer le jeu avec moi ! » Si l'acceptation est totale, sans réserve, la communication sera aussi totale. Ajoutons un facteur, trop souvent ignoré, — car une écriture aussi parfaite peut fort bien s'en accommoder — celui de l'humour et de l'ironie. La complicité s'établit grâce au clin d'œil malicieux de l'auteur. Ce n'est pas à une complicité criminelle que le lecteur est convié, mais à un jeu où l'on s'amuse à mystifier les autres, à entremêler si bien les fils de l'intrigue qu'on se demande bien parfois si l'on a pas été victime de sa propre mystification. Le défi lancé au lecteur stimule et aiguise ses facultés intellectuelles. L'auteur, loin de s'en moquer, exprime par là même le respect inconditionnel qu'il éprouve envers le lecteur en même temps que pour l'écriture, car lui, l'écrivain, doit se montrer à la mesure du talent et de la perspicacité de son lecteur.

Prochain Épisode (1965), tout en faisant relation avec des événements récents, établit une distinction entre l'action de l'écrivain et celle du révolutionnaire, car il est fondé sur l'apparent et insurmontable dilemme de l'écrivain-narrateur, « symbole fracturé de la révolution du Québec, mais aussi son reflet désordonné et son incarnation suicidaire ». Il prêche l'action révolutionnaire, tandis que, réduit à l'impuissance physique dans une cellule de clinique psychiatrique, il raconte le récit des menées troubles de son héros, l'accompagne, le guide, tout en faisant le récit de son acte d'écriture, en quoi consiste sa véritable puissance. L'incroyable filature débouchera sur un épisode en devenir. La révolution en acte ne s'est pas faite, mais celle de l'écriture, oui ! La superposition constante et quelquefois l'interpénétration des deux niveaux d'action marque une réussite qui classait déjà Aquin comme « un écrivain de race ».

Trou de mémoire (1968), selon une pseudo-« note de l'éditeur », est un « roman policier axé sur la pharmacomanie ». « En poussant encore plus loin dans ce sens-là, continue-t-il, je transcenderai l'érudition par un festonnage métaphorique qui séduira mon lecteur. Le baroque. » Précédant cette note, en la complétant par avance, il disait : « Car je tiens le roman qui me brûle intérieurement et par lequel je prendrai possession de mon pays ambigu, maudit et de ma propre existence : ce roman est plus que moi-même. Il m'épuise;

à moi de l'épuiser sous l'aspect formel. » Il rejoint par là les propos qu'il tenait dans *Prochain Épisode* : « Je rêve plutôt d'un art totalitaire, en genèse continuelle. » L'invitation à jouer le jeu se répète et l'auteur se lance à fond dans un incroyable délire imaginatif. Les pistes sont brouillées à un point tel que l'écrivain ne pourrait amener plus loin son lecteur. Que l'Anglaise Joan ait été tuée par un séparatiste québécois, cela apparaît évident; ce qui l'est moins, c'est la véracité des faits qui entourent le meurtre. Leur discontinuité rend la recherche plus captivante.

Avec *l'Antiphonaire* (1969), on a l'impression, malgré les constantes remontées dans le XVIe siècle, les fragmentations multiples qu'elles entraînent, d'un système plus cohérent, mieux ordonné, plus facile à suivre, la thèse que Christiane est en train d'écrire sur la science médicale de cette époque justifiant ces rappels et ces retours au siècle de la Renaissance, de même que l'étalage d'érudition et de culture dont elle fait preuve, sans pédanterie ni affectation. (L'auteur y trouve d'ailleurs sa propre justification.) D'autre part, on ne se trouve plus maintenant devant une histoire d'espionnage ou une aventure policière, mais bien devant une histoire d'amour, ou plutôt d'amours. L'intrigue, malgré tout secondaire, met l'accent sur une certaine fureur amoureuse, c'est entendu, mais principalement sur des attaches culturelles et sur un nouvel humanisme, puisant encore aux sources du XVIe siècle.

Neige noire (1974) invite, encore plus que les romans précédents, le spectateur non pas à assister à une projection cinématographique, mais à bâtir avec le narrateur le scénario d'un film, écrit à mesure que son auteur vit des événements véritablement arrivés. Nicolas, d'acteur, est devenu scénariste et l'histoire qu'il racontera sera celle de son voyage de noces dans les îles de Thulé, au nord de la Norvège, voyage et scénario qui s'achèveront par le meurtre sacrificiel de Sylvie, sa femme. Plus que l'intrigue, en somme relativement simple, les commentaires (entre parenthèses) doublés de directives scéniques **confèrent à cette œuvre tout son sens et** engagent le lecteur à une durée atemporelle, rejoignant le sublime, le sacré, ainsi que le suggère la dernière scène qui réunit Eva Vos et Linda Noble. L'écriture a atteint son sommet.

Souvent déconcertante par son originalité, ses acrobaties verbales quelquefois intempestives, sa structure incohérente, l'œuvre romanesque de Réjean DUCHARME (né en 1942) marque une date importante dans nos lettres et, avec Aquin, Marie-Claire Blais, Godbout, André Major et Carrier, renouvelle le roman québécois. Depuis *l'Avalée des avalés* (1966) jusqu'à son dernier né, *les Enfantômes* (1976), la verve et le talent de l'auteur, sans se démentir, ont continué à s'exercer, mais pas nécessairement avec le même bonheur.

L'Avalée des avalés reproduit le monologue intérieur, tourmenté, gouailleur, agressif, d'une jeune fille, Bérénice Einberg, qui raconte environ six années de sa vie, de 9 à 15 ans. Trois espaces tout à fait différents situent et partagent l'action : une île du Saint-Laurent (en face de Montréal?), où se déroule son enfance avec sa famille; la ville de New York, où elle vit sous la garde de son oncle; et Israël, où elle s'affranchit. Le récit est truffé de descriptions fantaisistes, de réflexions tour à tour tristes, drôles, philosophiques, incroyablement lucides et précoces, entravé d'arrêts, de coupures, de retours, de noms étranges. La fillette se révolte contre son milieu familial invivable. Se sentant rejetée, tenue pour quantité négligeable, elle déteste son père et voue à sa mère un amour excessif. Elle tente de se raccrocher à quelque chose ou à quelqu'un. Son amie Constance l'aidera à supporter la vie et à l'assumer.

Le Nez qui voque (1967) est une narration formée par le journal de Mille Milles, âgé de 16 ans, vivant dans le Vieux-Montréal avec sa sœur Chateaugué, 14 ans. Comme le précédent, c'est un roman de l'adolescence et de la révolte. Comme Bérénice, Mille Milles cherche à comprendre et à vivre. Après *la Fille de Christophe Colomb* (1969), racontant la visite de trois continents par Colombe Colomb, qui enfin redécouvre l'Amérique, paraît *l'Hiver de force* (1973). Si la première page d'un livre doit en annoncer le contenu, eh! bien, il n'y faut pas compter en l'occurrence! On apprend quand même, au fil des pages, qu'on a affaire à deux correcteurs d'épreuves en mal de vivre et de se laisser vivre, tout en feuilletant *la Flore laurentienne* du frère Marie-Victorin, en buvant et en fumant plus que de raison, en écoutant de la musique, en traînant les savates. « On ne passe pas notre temps à faire du ménage. On a autre chose à faire. RIEN. Ça a l'air facile mais c'est ce qu'il y a de plus difficile. Essaie, bonhomme, si tu ne veux pas me croire. Essaie d'arrêter de te débattre pour sortir de ta médiocrité native, bonhomme. » Aussi se vautrent-ils devant la TV, avec ses attraits factices. C'est à la fois le contact qu'ils gardent avec le monde et un écran protecteur. Leur soleil, c'est Catherine, leur tendresse, leur espoir, qui malheureusement leur brûle la politesse et les laisse seuls devant un autre « hiver de force (comme la camisole), la saison où on reste enfermé dans sa chambre parce qu'on est vieux et qu'on a peur d'attraper du mal dehors [...] ».

Le dernier roman de Ducharme, *les Enfantômes* (1976) sécrète l'ennui intolérable d'un jeune couple lié par la haine. Si la tentation du suicide effleure Vincent — comme Mille Milles, dans *le Nez qui voque* —, il l'écarte avec résignation pour se mettre à rédiger ses mémoires.

Somme toute, une œuvre qui brille par sa vision du monde, vu, dans les trois premiers romans, dans la perspective de l'enfance, et par ses jeux verbaux où la satire le dispute à l'équivoque. La virtuosité verbale de l'auteur séduit pour un temps, mais finit par agacer, à moins qu'on ait un sens de l'humour particulièrement solide et qu'on accepte que le romancier se camoufle derrière cette rhétorique pour dissimuler son angoisse existentielle.

Après seize ans de silence, André LANGEVIN (né en 1927) est revenu au roman avec *l'Élan d'Amérique* (1972) et *Une chaîne dans le parc* (1974). *L'Élan d'Amérique*, œuvre difficile et obscure, au moins dans les 65 premières pages en raison du mode trop fragmenté de présentation des faits et des personnages, décrit la double rétrospection de la vie de Claire Peabody, fille d'une putain « canuck » et du puissant vice-président d'une compagnie de papier américaine, et de son amant Antoine, bûcheron et prospecteur, à l'emploi de ladite compagnie. Il confère à la rencontre d'un orignal (élan d'Amérique) un sens symbolique, préfigurant son destin et celui de sa maîtresse, l'élan de l'Amérique... À la troisième rencontre avec l'animal, Claire elle-même tire sur l'orignal, dont Antoine suit patiemment la piste sanglante et qu'il n'ose tuer en le découvrant en train de s'accoupler. Le père (et époux...) de Claire, Stephen, se charge d'abattre l'élan du haut de son petit avion Cessna. Antoine, furieux, ira déposer le trophée aux pieds de Claire, avec laquelle il fait ensuite l'amour. Nous voilà revenus au point de départ du récit. Claire intervient énergiquement contre un Stephen mécontent. Pour finir, elle se suicide en sautant de l'avion, tandis que son amant continue sa vie sauvage dans le grand Nord. Comme on l'a si bien souligné, l'Élan d'Amérique traduit la « dimension nationale de l'orphelinage ».

Une chaîne dans le parc raconte un autre orphelinage, celui d'un enfant terriblement précoce, qui rêve d'un monde accueillant, bienveillant, hors des murs de sa prison. Les sept jours passés au dehors, dans un quartier populaire de Montréal, lui découvrent un monde terrifiant d'égoïsme, de mesquinerie et de préjugés (son oncle et ses tantes), mais aussi un monde chargé de misères et pourtant d'affection, d'amitié et d'amour (le Rat, Jane, les Lafontaine). Refusé et repoussé par les uns, accepté et aimé par les autres, il récupère lamentablement les lambeaux de ses rêves et réintègre un autre pensionnat. Serait-ce là l'histoire des Québécois?

Anne HÉBERT (née en 1916), exilée volontaire, a effectué un retour au roman après une césure de douze ans, en démontrant hors de tout doute qu'elle avait conservé ses profondes racines québécoises. *Kamouraska* (1970), « une histoire d'amour, de fureur et de neige », en plus de renouveler la géographie littéraire du Québec, renouvelle également son histoire, en situant le récit dans une perspective natio-nal(ist)e à laquelle nous ont habitués les romans de la dernière décennie. Toutefois, c'est la structure du récit et son style qui donnent à ce roman sa qualité incomparable. Élisabeth, assistant à l'agonie lente de son époux Jérôme Rolland, se remémore son premier mari, Antoine Tassy, seigneur de Kamouraska, une brute et un ivrogne, qu'elle a fait tuer, avec la complicité d'une servante-sorcière, par son amant sorelois George Nelson. En une nuit, défilent dans son esprit ces événements tragiques, sa dévorante passion amoureuse, l'humiliant procès et la « soumission » à un mari rangé. Utilisant constamment la rétrospection et l'introspection, la narration confère à l'héroïne, à la fois « je » et « elle », une oscillation continue entre l'angoisse et l'amour, entre l'inconfort et la sécurité.

Le deuxième roman de ce second cycle, *les Enfants du sabbat* (1975), transporte le lecteur au seuil du sacré, du rituel et de l'innommable du pays des sorciers et des cérémonies initiatiques, dans la catholique « province » de Québec en 1944. Sœur Julie de la Trinité, à la veille de prononcer ses vœux, évoque les souvenirs de son enfance miséreuse, entourée d'un père et d'une mère à la sexualité primitive, son amour incestueux pour son frère Joseph, et le « sabbat » mené par ses parents. Sœur Julie devra choisir, tiraillée entre l'appel de Dieu et celui du Diable. Ce tiraillement, rendu par l'alternance et quelquefois l'audacieuse juxtaposition des deux récits, débouche sur la naissance d'un « fils du démon » enfanté par Sœur Julie, qui s'enfuit du couvent. La qualité et la souplesse du style, la fermeté et la beauté des images confirment le talent de l'écrivain.

Une histoire, même modeste, du roman québécois ne peut ignorer Jacques POULIN (né en 1938) en raison de l'importance de ses quatre romans. Dans *Un cheval pour un royaume* (1967), « un cobaye amateur de vie normale » va, en deux jours, se « construire un passé capable de rendre légitime la présence des barreaux » derrière lesquels il se trouve. Pierre, l'écrivain à la « carapace d'intellectuel » se voit confier la mission de placer une bombe près d'un monument. On suit son cheminement amoureux et à demi somnambulique dans un Vieux-Québec qu'il chérit, Simon le caléchier et lui tantôt aux bras tantôt dans les bras de Nathalie. La bombe qu'on lui transmet explose. Blessé, sanguinolent, il se rend compte qu'il vient de faire l'apprentissage de la violence, lui qui était doué pour la tendresse. « Ma paix et ma liberté ne seront jamais que provisoires », conclut-il.

La réussite de *Jimmy* (1969) tient sans doute à ce que l'auteur a recréé le monde de l'enfance, avec ses jeux et ses rêves, ses illusions et son langage, et qu'il y a mis toute la tendresse du monde. L'enfant observe comme seul peut le faire un enfant, avec une acuité terrifiante, les adultes qui l'entourent, perce leurs secrets, bien gardés par leurs masques. Dans son chalet de Cap-Rouge, il assiste non seulement au pourrissement des pilotis, mais encore à celui de la société familiale. À lui de « sauver le bateau » parti à la dérive (dans ses rêves peuplés d'aventures), lors des grandes marées d'automne. Bravement, il dirige la manœuvre, mais bientôt son courage flanche et il lance un appel de détresse : « Besoin de tendresse, crotte de chat ! Besoin de tendresse ! Over. »

Au monologue intérieur d'un enfant a succédé « une histoire de cœur », histoire du narrateur auquel on a greffé un cœur de jeune fille. *Le Cœur de la baleine bleue* (1970) raconte le pénible réapprentissage de la vie qu'entreprend Noël : pourra-t-il de nouveau faire l'amour avec É(g)lise ? pourra-t-il poursuivre son « histoire de cœur entre lui et le Vieux-Québec » aux pentes abruptes ? pourra-t-il se remettre à écrire ? Le phénomène biologique du rejet se produira-t-il ? Élise s'éloigne de Noël, pour lui préférer un joueur de hockey. Aussi l'écrivain-greffé poursuit-il son aventure intérieure en se remettant à écrire. L'impossibilité de vivre le conduira-t-elle au suicide ? « [...] je ne pourrai jamais vivre dans ce paysage parce que la vie, c'est l'agressivité. Finalement c'est mon enfance qui me rejette. »

Dans *Faites de beaux rêves* (1974), Jacques Poulin poursuit sa recherche tenace de la tendresse, cette fois, dans le décor et l'atmosphère d'un champ de course automobile. Les aventures des trois principaux personnages, Limoilou, Amadou et son frère Théo, venus participer chacun à sa façon au Grand-Prix du Canada, importent assez peu. L'action, comme dans les trois romans précédents — et même davantage — se déroule au niveau du cœur. Les personnages (au-delà des moyens techniques) tentent d'établir une communication, bien fragile, entre eux. Leur mal d'aimer se traduit en douceur. À remarquer le dépouillement graduel qui s'est opéré de roman en roman dans la technique de l'auteur : les faits sont relégués au second plan, pour que soit livré l'essentiel, le message intérieur.

Jacques FERRON (né en 1921), écrivain prolifique, s'est exercé avec un égal bonheur, dans le théâtre, l'essai et le roman. Depuis 1962, il a publié plus de dix romans, avec une régularité exemplaire. *Cotnoir* (1962) raconte les funérailles d'un médecin ivrogne auxquelles assistent un certain nombre de parasites et qui fournissent au narrateur l'occasion — par des pirouettes techniques assez habiles et quelquefois déroutantes — de décrire certains « phénomènes » parmi ses anciens patients. *La Nuit* (1965), qui s'inscrit dans la ligne du conte, est prétexte à méditer sur une certaine vision du monde, en en révélant certains aspects mythiques et politiques : « La vie est une foi. La réalité se dissimule derrière la réalité. » « [Les Québécois] forment un peuple bizarre, né sous une domination étrangère, un peuple patient et insoumis qui attend son heure et n'obéira jamais de plein gré qu'à lui-même. » La nuit est-elle « un grand marché de dupes »? Oeuvre dense et cohérente, malgré une intrigue « loufoque » et apparemment enchevêtrée, au style rempli de saillies (« je crépite d'esprit »), elle donne le plaisir de lire Ferron, artiste de l'écriture.

Avec *Papa boss* (1966), nous assistons à l'étrange aventure intérieure d'une jeune femme revivant son court passé. L'interpellation du narrateur implique autant l'héroïne que le lecteur, dans un récit limité par le temps. Papa boss interviendra pour modifier le cours de sa destinée. *La Charrette*

(1968) ramène inopinément — n'était-il pas mort? — le fils de la nuit, Frank, et nous reporte au centre d'une sorte de Montréal infernal. L'esprit créateur de Ferron s'y donne libre cours, au grand ébahissement du lecteur, tant dans la structuration du texte que dans son imagination verbale délirante. *Le Ciel de Québec* (1969), touffu, foisonnant de péripéties et d'anecdotes, semble fermer un cycle, celui des mythologies urbaines. Il décrit en somme l'aventure de la collectivité québécoise, en mettant en opposition irréductible les nantis et les non-nantis et en remontant le cours de l'histoire du Québec et du Canada pour y pointer les personnages marquants de notre destinée nationale.

Quant à *l'Amélanchier* (1970) — que j'estime la plus belle réussite de Ferron, avec *la Nuit* — il est un long conte de l'enfance. « Mon enfance je décrirai », déclare Tinamer de Portanqueu, « pour le plaisir de me la rappeler [...] » et « aussi pour mon orientement », elle qui découvre le monde « civilisé » de la forêt à laquelle l'humble amélanchier prête sa dynamique, et le monde « sauvage » de la société. « Mes yeux se sont ouverts et je vois [...] Je me comprends, je me possède, c'est pour cela que je me cache à moi-même devant le monde qui par moi recommence. » Ce « récit » constitue en quelque sorte le pont entre la première et la deuxième partie de l'œuvre romanesque de Ferron. Nous passons à la mythologie de « province » (entendue au sens « français») avec *le Salut de l'Irlande* (1970), qui s'inscrit également dans la ligne du conte, en particulier de la légende folklorique de la chasse-galerie. Un renard hante une famille d'Irlandais de Saint-Lambert, les Haffigan, dont le cadet, Connie, déjà entrevu vaguement dans *la Nuit,* deviendra « Effelquois », pour sauver le Québec et l'Irlande en même temps. À la fin d'une incroyable chasse, il est arrêté, menotté par ses propres frères, mais il esquisse le sourire du triomphe : « Je souris à mes frères, à leur stupide hélicoptère, je souris à mon pays, au-delà de la nuit. »

Les Roses sauvages (1971), merveilleux « petit roman », racontent l'histoire d'un mariage destiné au bonheur, mais compromis par le suicide de la femme, devenue hystérique à cause d'une haie de rosiers sauvages plantée devant la fenêtre de sa chambre et qui l'oppresse et l'étouffe littéralement. Baron, le veuf, installe sa fille Rose-Aimée (au nom symbolique) en pension chez des Acadiens. De retour à la maison, après ses études chez les Sœurs, elle assiste à la maladie de son père, maladie qui dégénère en folie douce. Elle prendra alors les rênes de la maison avec un mari acadien. Anecdote tout à faire linéaire, mais bijou de texte, dont l'affabulation n'a même pas besoin d'explicitation. Ici, comme dans la plupart de ses romans, Ferron manifeste une forme d'humour ému, qu'on pourrait qualifier de compassion, alors qu'au moment de pleurer sur le sort de ses personnages, il ne pleure pas mais sourit, en les faisant complices de son sourire.

Son œuvre romanesque est peuplée de mythes et de symboles nouveaux, correspondant davantage à l'identité québécoise. *La Chaise du maréchal-ferrant* (1972) et *le Saint-Élias* (1972) confirment cette intention de Ferron, déjà dévoilée dans les autres romans : un renard, une charrette, des croix celtiques, un bateau... Et ces mêmes personages qui reviennent, le médecin, le prêtre, Dieu et le Diable, manifestent encore l'éternel combat du Bien et du Mal ou plutôt la volonté de l'auteur de briser avec ce manichéisme traditionnel. *Le Saint-Élias* comporte, comme les romans précédents, des conceptions politiques décloisonnantes. Est-il nécessaire de citer un extrait du long passage qui résume tout le sens du livre : « Il était bon de rester enfermés aussi longtemps que nous n'étions pas un peuple. Mais ce peuple, nous le sommes enfin devenus : que soit brisé l'écrou du Golfe ! que cessent les empêchements de l'enfance ! »

Enfin, *les Confitures de coings* rassemblent la version corrigée et refondue de *Papa Boss* et « une version entièrement nouvelle de *la Nuit* » de même que deux textes inédits, l'un, *la Créance,* autobiographique, l'autre, *l'Appendice aux Confitures de coings ou le Congédiement de Frank Archibald Campbell.* À souligner deux corrections importantes et significatives : un long passage situe, au début du roman, François

Ménard devant la vie ; Ferron a, de plus, supprimé l'allusion au jeune « Effelquois » en train de corriger un poteau indicateur. Les Québécois, selon lui, n'auraient pas besoin de ce genre d'activités extérieures pour apporter une solution satisfaisante à leur problème national.

Notons, pour terminer, la présence d'un temps privilégié : la nuit. La nuit, complice des confidences et des aveux ; la nuit, qui permet de remonter par le rêve ou la réalité aux phantasmes de l'enfance et de les assumer ; la nuit, également, complice des basses œuvres, des œuvres infernales du monde interlope ; enfin, la nuit annonciatrice de l'aube, de la renaissance d'une race.

Depuis 1968, Victor-Lévy BEAULIEU a publié neuf romans, dont la lecture à elle seule constitue déjà une gageure. Et leur interprétation, donc ! La structure flottante de ses romans y est sans doute pour quelque chose, mais, à la rigueur, cela pourrait s'accepter, comme on l'a fait pour d'autres romanciers. Son œuvre est traversée par les délires de l'imaginaire. Soit ! Nous voilà en pleine fiction ! Que ces délires conduisent à des fantaisies burlesques ou à des situations cauchemardesques où se confondent le réel et l'imaginaire, pourquoi pas ? Que l'invention verbale de VLB le conduise à une trituration, à une déformation du parler populaire, soit, mais qu'elle mène à sa « joualisation », qu'elle accorde le prestige de la vie à une langue défaite, abâtardie, alors nous commençons à tiquer. Que la scatologie soit la marque de commerce de ses romans, que le sexe occupe une place démesurée (!), triviale et grossière, cela choque non pas tellement la morale (qui n'a rien à voir dans l'œuvre d'art), mais les convenances et le bon goût. (Par Dionysos, serait-ce la même chose ?)

Repassons quand même, rapidement, chacun de ses romans. *Mémoires d'outre-tonneau* (1968) présente l'histoire d'un Satan Belhumeur qui, dégoûté du monde, se réfugie dans un tonneau et sombre dans une torpeur et une indifférence annihilantes. On remarquait déjà les jeux de mots et les calembours insupportables, un humour souvent au ras de terre et parfois franchement vulgaire. *Race de monde* (1969) inaugurait un vaste cycle romanesque, celui de la tribu des Beauchemin, « habitants » du petit village de Saint-Jean-de-Dieu transplantés et perdus dans le grand Montréal. On y trace le portrait d'une famille pauvre, race de mécréants, et de ses rêves inaccessibles.

La Nuitte de Malcolm Hudd (1969) raconte la nuit d'un « malcommode » dont la femme a tué le cheval qu'il avait fait entrer dans la maison. Il noie son chagrin à la taverne et s'abandonne à un long voyage dans l'imaginaire. Ce récit est un roman prolixe, surabondant, au verbe étourdissant et torrentiel.

Avec *Jos Connaissant* (1970) se poursuit la grande fresque des Beauchemin. On y assiste à la difficile adaptation à la vie urbaine, à la ville inhumaine. L'univers de VLB se développe dans *les Grands-pères* (1971). Le chef de la tribu, Millien, se voit momentanément dépouillé de son autorité par le coup de poing qu'il reçoit de son fils. Le grand-père, qui était allé rendre visite à la tribu installée dans la métropole, s'empresse de plier bagage et de retourner à sa terre, après une expérience ratée avec une « fille ».

Un rêve québécois (1972) nous transporte dans un autre monde. Certes, la sexualité y est partout présente et exagérément envahissante, et obscènes et répugnants le meurtre (réel ou fictif?) de Jeanne d'Arc et sa mutilation. L'engagement politique, jamais clairement défini, y est malgré tout apparent : les événements se déroulent dans l'orbite de la crise d'octobre 70.

Dans *O Miami Miami Miami* (1973), Abel Beauchemin et le romancier font partie commune. Ce roman dense et touffu est une espèce de narration à relais, passant d'une voix à une autre. Constamment est remise en question la fonction du roman (« narration aberrante de ce récit »). Le romancier s'interroge sur le sens de la démarche romanesque, sur la signification de l'écriture, à tel point qu'on se demande s'il ne tente pas, comme Godbout dans *D'amour P.Q.* de la démystifier. *Don Quichotte de la démanche* (1974) poursuit la même offensive. Abel constate avec effroi la rupture qui existe entre l'écrivain et ses moyens. Le romancier-narrateur invite même les personnages principaux de ses romans antérieurs à une nécessaire confrontation sur le sujet.

Enfin, dans *Blanche forcée* (1976), la mythologie québécoise s'amplifie. Un voyage de documentation sur la baleine sert de prétexte à Job Jobin pour re-parcourir le pays de ses premières amours avec sa femme Blanche, qui s'est suicidée. Mais, en même temps, le fossé qui existait entre la catharsis opérée par l'écriture et l'espoir engendré par le rêve tend à se combler. On assiste au triomphe presque complet de l'imaginaire.

Existe-il une démarche efficace chez Victor-Lévy Beaulieu? Son appropriation du monde et de l'écriture doit-elle encore passer nécessairement par une sexualité débridée, une vulgarité déplaisante, de lourds jeux de mots et des calembours douteux? Victor-Lévy Beaulieu est « pourri » de talents, tout le monde le sait! Quand il aura résorbé ses fixations, son œuvre arrivera sans doute à l'apogée de sa perfection.

Au terme de cette rapide incursion dans le roman de 1960 à 1975, peut-on encore être tenté de poser la question de l'existence d'une littérature québécoise originale et authentique? S'il n'en tient qu'au roman, il me semble que la question est tout à fait oiseuse. Cette littérature, tout en véhiculant des valeurs culturelles incontestables, s'est élargie sur l'universel, a engagé à sa façon un dialogue enrichissant des cultures dans un monde qui, généreusement voudrait abolir les barrières entre les peuples. Pour être en mesure d'engager un dialogue fructueux, encore faut-il qu'elle définisse d'abord les préoccupations de l'homme d'ici, les principales manifestations de sa culture, avec ses perspectives particulières, avec sa façon de la traduire et de l'écrire.

Notre roman a donc effectué le cheminement normal d'un peuple en évolution d'abord lente, puis accélérée, il a décrit l'homme urbain avec ses problèmes à la fois différents de ceux de l'homme rural, et semblables. Les situations changent, les hommes demeurent toujours les mêmes... On y aura remarqué la présence incongrue (selon la morale et le bon goût) du sexe, de la scatologie, du sacre, la description appuyée de la violence (meurtre, sang, viol), l'emploi caractérisé d'une langue torturée, humiliée, langue défaite d'un peuple défait, toutes choses qui n'apparaissaient pas auparavant aussi brutalement, aussi crûment. Ce phénomène a marqué un vaste mouvement mondial de libération depuis les années 60, libération qui exigeait le rejet des valeurs sur lesquelles s'étaient bâties les cultures. Cet immense effort d'émancipation ne s'est pas effectué sans heurts, sans malaises et sans destructions inutiles. Cependant, aux anciennes valeurs ont succédé de nouvelles, plus en harmonie, semble-t-il, avec les désirs et les préoccupations de l'homme d'aujourd'hui, valeurs qui traduisent à merveille un vigoureux effort de renouvellement et de dépassement individuels et collectifs, une affirmation de soi non équivoque. Au Québec, après la révolution tranquille, la prise en main véritable de notre destin et l'indispensable autonomie culturelle se sont opérées si rapidement qu'on a peine à imaginer le chemin parcouru. Si, en effet, on compare les œuvres de Pinsonnault et celles de Victor-Lévy Beaulieu, on se rend compte qu'il existe un monde entre les deux.

La désaliénation qui a conduit à notre affirmation s'est fondamentalement effectuée, en littérature, par la libération de l'écriture, celle-ci ne pouvant que traduire les déchirements intérieurs des écrivains et des Québécois. Vouloir établir des rapports avec le « nouveau roman » français me semble hors de propos. Plusieurs critiques ont tenté l'inutile comparaison. Nous avons notre nouveau roman qui, à sa manière, s'est écarté prodigieusement des paradigmes traditionnels et obligés, a même défiguré en maintes occasions le roman québécois traditionnel, afin de mieux rendre des réalités nouvelles. Trop longtemps le climat de la société québécoise a été marqué de replis isolationnistes, d'interdits *ex cathedra,* de refoulements inévitables et frustrants, trop longtemps il a été stigmatisé par l'incertitude et la contradiction. Il y a quelques années, François Ricard n'affirmait-il pas, encore rempli d'inquiétude : « Je trouve partout un désarroi, un sentiment d'urgence et de fragilité qui me laissent entre le pressentiment et l'espoir, comme si c'était la fin du jour et que les heures à venir n'étaient qu'incertitudes. » Depuis novembre 1976, le Québécois, qui a toujours été un homme politiquement engagé dans toutes les manifestations de sa vie, tente d'assumer au mieux son identité retrouvée, son sentiment d'appartenance à un pays et à un monde réputés impossibles, de s'assurer l'accès à un paradis promis. Si, toutefois, du phénomène étroit d'introversion initiale il est passé à l'extroversion quelquefois maladroite, en essayant gauchement d'imposer son image et son imaginaire à l'univers, il faudrait qu'il prenne garde de retomber dans une introversion qui ne saurait, dans le contexte contemporain, le faire participer adéquatement au dialogue universel.

Depuis quelques années, notre discours national a paru redoubler de vigueur et d'énergie, malgré les appréhensions des uns et la réaction des autres. Qu'on me pardonne de ne pas mentionner de noms — je serais alors forcé d'en établir une longue liste —, mais les romanciers québécois ont, pour leur part, défini l'homme et l'écrivain. Notre littérature n'a pas tout à fait quitté l'adolescence — sauf pour quelques œuvres exceptionnelles. Elle accédera bientôt à l'âge adulte, elle deviendra — si ce n'est déjà fait — la littérature d'un grand peuple.

la littérature québécoise contemporaine 1960-1977

III LE THÉÂTRE

NORMAND LEROUX

Fêtes de la Saint-Jean (Baptiste) qui attirent un demi-million de Québécois sur le Mont-Royal; carnavals, de Québec ou de Chicoutimi, qui mobilisent des cités entières; joutes de hockey qui suspendent la vie d'une métropole; *Chantaoût* qui fait chanter tout un peuple sur les plaines d'Abraham; Exposition universelle qui se transforme en permanente *Terre des Hommes; Francofête* où les gigues des violonneux des bords du Saint-Laurent répondent aux tams-tams africains; *Chants et poèmes de la résistance* qui succèdent à des *Nuits de la poésie* et à de plus tragiques « répétitions générales », entrée princière par le Chemin du Roi avec haltes-reposoirs et qui se termine sur un balcon où un grand magicien étoilé lance à la foule fervente un vivat de liberté; suspense d'un 15 novembre avec dénouement heureux et inespéré... ; voilà, me semble-t-il, les événements théâtraux les plus réussis de ces quinze dernières années, mises en scènes plus ou moins spontanées, jeux plus ou moins innocents qui démontrent que le Québec, peuple de conteurs et de raconteurs doués d'un profond instinct de théâtralité, aime, a toujours aimé d'ailleurs, théâtraliser la trame de son existence.

Ce goût pour le Jeu, la Fête, le Spectacle, on en trouve la lointaine trace dans nos premières chroniques qui gardent le souvenir de mistères, passions, comédies, tragédies et autres déclamations qui émurent nos pères ou qui les divertirent. Notre premier metteur en scène — nous avons eu, depuis, bien d'autres *domini gregis* à la tête de nos gouvernements, municipalités et églises — Marc Lescarbot imagine et réalise un « pageant » nautique fameux pour célébrer le retour de fructueuse expédition du Sieur de Poutrincourt. La littérature dramatique n'y trouve peut-être pas son compte, mais l'ordonnance est spectaculaire. Quelques années à peine après Paris, tout Québec peut se permettre d'avoir pour Chimène les yeux de Rodrigue. En 1694, la Nouvelle-France a même droit à son affaire *Tartuffe* dont la représentation est interdite par l'évêque. Interdiction qui marque le début d'une longue tradition de méfiance ecclésiale, et justicière, à l'égard de tout ce qui touche au théâtre. À la suite de cet incident, le premier d'une série de coups de censure, les scènes canadiennes resteront longtemps silencieuses et le théâtre — paradoxe — trouvera refuge dans les institutions religieuses. Ce seront les officiers de la garnison anglaise qui, après la conquête, joueront impunément Molière ou Beaumarchais. Les Canadiens français, eux se contenteront de rire aux vers de mirliton d'un Français devenu sujet britannique, Joseph Quesnel. Sa pièce, *l'Anglomasnie* (1790), a toutefois le mérite de débattre d'un sujet encore très actuel : comment deux races, la française et l'anglaise, peuvent-elles former une seule nation canadienne?

Il faudra attendre près d'un demi-siècle la comédie, mineure et patoisante, d'un autochtone : *la Vengeance d'un valet* (1837) de Pierre Petitclair. Quant à notre première tragédie historique, *le Jeune Latour,* de très, de trop cornélienne inspiration, il appartiendra à Antoine Gérin-Lajoie, auteur d'*Un Canadien errant,* chanson popularisée de nos jours par une chanteuse grecque, de l'écrire et de la faire représenter en 1844. Jusqu'à ce que l'on se rende compte que le héros était agent double, notre premier poète nationaliste, Louis Fréchette, aura été l'auteur du plus grand succès populaire du XIXe siècle : *Félix Poutré* (1862). Fréchette caressera, au reste, l'audacieux projet de faire jouer une autre de ses (?) pièces, *Veronica,* drame romantique à la Victor Hugo, par la première artiste française de talent à venir, en 1880, « braver l'horreur de nos saisons perfides » et encourir les foudres de l'épiscopat pour avoir « répété ici les scènes ignobles dont elle est coutumière ailleurs » : Sarah Bernhardt. À la suite de la « divine », se succéderont au Québec les acteurs français les plus réputés. Mounet-Sully, Réjeane, Coquelin, Sacha Guitry et plusieurs autres viendront faire connaître au public canadien-français le répertoire parisien.

L'intense activité théâtrale qui s'est maintenue au-delà des années trente, a pu susciter une abondante littérature (théâtre) radiophonique et de nombreuses vocations d'acteurs. Elle n'est certes pas étrangère à la fondation de troupes locales : celle du célèbre duo d'acteurs Barry-Duquesne en 1929; celle des Compagnons de Saint-Laurent en 1937 par Émile Legault, l'un des plus dynamiques artisans de notre vie théâtrale, le « père » d'une lignée de metteurs en scène de talent. En revanche, toute cette effervescence n'a guère suscité d'œuvres de valeur, nos auteurs d'alors s'adonnant surtout au sketch folklorique ou au mélodrame. Le répertoire de qualité, les troupes locales doivent l'importer. En cela, le Canada français, il est vrai, ne déroge pas à la règle qui veut que, dans toutes les littératures, le genre dramatique soit toujours en retard par rapport aux autres.

L'AVEU CAPITAL DE TIT-COQ

C'est en 1837 que paraît notre premier roman *le Chercheur de trésor* de Philippe Aubert de Gaspé, mais ce n'est qu'en 1948 que le public montréalais ira ovationner Gratien Gélinas et son *Tit-Coq.* Pendant plus de deux cents représentations, phénomène jamais vu, la vieille salle du Monument national ne désemplit pas. On vient des quatre coins de la Province applaudir l'histoire mélodramatique d'un soldat, orphelin, bâtard, qui, de retour de guerre lointaine, retrouve une fiancée infidèle. On vient surtout y entendre des personnages qui s'expriment non à la française mais à la « canayenne », c'est-à-dire en un parler dru, imagé, émaillé de canadianismes, d'anglicismes et de quelques accrocs à la syntaxe. Le thème familier, le décor vériste, le langage de la rue, les interprètes de qualité, Barry, Duquesne et d'autres têtes d'affiche, Gélinas lui-même, déjà connu pour avoir dix ans durant, dans ses revues, fait rire avec son « Fridolin », le type de titi montréalais qu'il avait créé, tout cela, évidemment, laissait présager un immense triomphe populaire. Mais ce qui était imprévisible, c'est que la critique officielle et, à quelques exceptions près, toute l'intelligentsia, qui n'avaient jeté jusque-là qu'un coup d'œil indifférent aux sketches du revuiste, emboîtent le pas pour célébrer à l'envi ses mérites.

On n'hésite pas à affirmer que « Gratien Gélinas est le Pagnol canadien »; on parle d'un « Fridolin qui s'est élevé au grand art »; on risque même « le mot de chef-d'œuvre ». On a l'impression que pour la première fois dans sa brève histoire, tout un peuple a l'occasion de voir une œuvre écrite pour lui et qui parle de lui en un langage qu'il comprend. Qu'importent le ton faussement naturel, les images truquées, les facilités mélodramatiques, la rhétorique sentimentale, et le pathos à bon marché, *Tit-Coq* reste une pièce touchante car elle est, par ses défauts mêmes, à l'image de notre bâtardise, de notre solitude, de notre aliénation : un « aveu collectif capital ».

Après *Tit-Coq*, qui ne connaîtra aucune reprise [1], le cours de notre histoire théâtrale s'accélère... lentement. Jusqu'en 1953, chaque année, ou presque, notre dramaturgie s'enrichit d'œuvres, voisines par les thèmes (on a toujours un père ou un fils à tuer, un passé à liquider, un avenir à inventer), mais différentes de formes; quelques-unes se lisent encore avec agrément. En 1949, Yves Thériault nous fait entendre le pas, un peu lourd, de son monstrueux *Marcheur*. La même année,

1. Sauf à la radio et à la télévision dans sa version cinématographique.

Éloi de Grandmont, co-fondateur en 1951 avec Jean-Louis Roux et Jean Gascon du Théâtre du Nouveau-Monde, donne *Un fils à tuer,* texte d'une théâtralité puissante, d'une architecture nette, d'une riche symbolique. En 1952, Pierre Dagenais, le fondateur et l'exigeant animateur de l'Équipe, met en scène le très classique *Brutus* de Paul Toupin, qui pourrait certainement faire la gloire de quelque Patrice Chéreau québécois qui s'aviserait de faire une nouvelle lecture de ce « sommet de notre théâtre » (Gérard Bessette).

LE MONDE DE MARCEL DUBÉ

Au Festival national de théâtre de 1953, une pièce intitulée *Zone* remporte presque tous les prix. Son jeune auteur, Marcel Dubé, y démontre les qualités qui font les bons dramaturges : sens de l'action dynamique, de la réplique percutante, don de l'atmosphère à suggérer. La structure en est pourtant traditionnelle et l'intrigue, banale de simplicité : pour échapper à la pauvreté de leur « zone » et réaliser leurs chimères d'enfants mal partagés, une bande d'adolescents se livrent à la contrebande des cigarettes américaines. Tarzan, le chef de la bande, tue un douanier et meurt devant celle à qui, par pudeur adolescente, il n'avait jamais osé avouer son amour. En dépit du sujet, Dubé parvient à éviter les pièges du pittoresque, du sentimentalisme et nous livre un drame de géométrie parfaite, l'un des plus émouvants de notre théâtre auquel il apporte la note poétique, absente du *Tit-Coq* de Gratien Gélinas. Joseph Latour d'*Un simple soldat* (1957), c'est Tarzan délaissant la casquette du voyou pour le képi militaire. Il rate toutes les chances qui s'offrent à lui; il n'aura même pas la chance d'aller crever au front comme tout le monde. Il devra se contenter de mourir en Corée comme un « simple soldat ». En dépit de ce qui peut sembler des défauts (psychologie sommaire, action décousue, structure enchevêtrée, scènes gratuites), la pièce de Dubé, vingt ans après sa création, apparaît sans rides, portant toujours ce même cachet d'authenticité et de vérité. Le rythme n'en est pas français, mais américain. On y entend la respiration même du parler canadien-français. De nos œuvres dramatiques, *Un simple soldat* est celle qui cristallise le mieux l'insaisissable âme canadienne-française, celle qui exprime le plus justement nos obsessions, nos remords, nos haines, notre mesquinerie, notre grandeur aussi et, surtout, notre impuissance. Témoignage vrai sur l'homme québécois, *Un simple soldat* est un classique de notre dramaturgie. Après *Florence* (1957), pièce réaliste qui se veut réflexion sur la condition de la femme, *le Temps des lilas* (1958) apparaît tchekovien par l'atmosphère ; présenté à Paris, il parvient à séduire certain critique parisien par son « exotisme vieille France ». Avec *Bilan* (1960), dénonciation de la bourgeoisie canadienne-française, les personnages de Dubé grimpent, si l'on peut dire, dans l'échelle sociale. Ils délaissent les faubourgs populaires pour s'établir dans les beaux quartiers, et les adolescents désœuvrés se transforment en étudiants ès-sociales, en « playboys » ou en parvenus. Ce passage d'un théâtre « prolétarien » à un théâtre bourgeois coïncide non seulement avec un changement de registre mais aussi avec un changement du langage de ses personnages. Sans renoncer tout à fait au « franglais », Dubé veut une langue « exportable », qui se rapproche du français international. Choix politique ? Choix esthétique ? En tout cas, choix malheureux. Après les hésitations langagières du début Marcel Dubé avait réussi, dans *Un simple soldat,* à trouver un langage naturel, c'est-à-dire conforme à la vérité de ses personnages et de leur milieu. Mais en ayant recours par la suite au langage fadasse, à peine transposé, d'une certaine bourgeoisie montréalaise, il aura perdu le style et l'originalité de ses premières œuvres. Presque plus rien ne subsistera de la vitalité des dialogues de *Zone.* À la place : la neutralité du constat. D'autre part, en contraignant les créatures de son monde à jouer au jeu, certes cruel et jamais avantageux, de la vérité, Dubé ne fera plus, en somme, qu'aligner des bilans, des œuvres « objectives ». Dubé finira par plagier Dubé. Et son théâtre ne donnera plus à voir, mais à entendre les mêmes dissertations sur deux ou trois thèmes. Le jeu de la vérité cédera la place à la dynamique du drame, le psychologisme à la psychologie, la verbosité au verbe [2]. Il n'en reste pas moins que *Zone* aura confirmé la viabilité d'un théâtre d'ici et que notre dramaturge le plus prolifique aura été le témoin vigilant d'un quart de siècle de notre histoire. Nul doute qu'en 1960, il était à l'écoute de son époque, une époque de bilan, de liquidation d'un passé, de promesses d'avenir.

* * *

THÉÂTRE ET RÉVOLUTION TRANQUILLE

1960 : coup de théâtre sur la scène politique, que l'intelligentsia locale applaudit de deux mains : le parti libéral remporte la victoire. Jean Lesage joue en père noble le rôle de premier ministre : la tempe argentée, la diction claire, le grasseyement agréable, l'image est rassurante et respectable. Le « dialogue » est possible. Cela change de l'interprétation du prédécesseur, ce père Fouettard à l'autorité sans réplique. L'époque de la grande noirceur semble révolue. Le Québec sort de l'état théologique ou fictif pour entrer dans l'état scientifique ou positif. Ceux qui pendant trop longtemps ont eu les yeux levés au ciel daignent jeter un coup d'œil sur ce qui se passe en terre québécoise : un clerc anonyme, un Frère Untel, pousse l'audace jusqu'à publier ses insolences et autres considérations sur le « joual ». On ne dira plus la « Commission des liqueurs », mais la « Régie des alcools ». La Culture aura bientôt son ministère, le Québec ses délégations à travers le monde. C'est le début d'un temps nouveau, le commencement de la « Révolution tranquille ».

Montréal commence alors à ressembler à une vraie métropole. Elle possède sa Comédie-Française, son Palais-Royal, son Théâtre national populaire, voire ses théâtres de poche de style Rive gauche ou Off-Broadway. Nos comédiens sont

2. Le jugement est un peu sévère. La création d'une pièce de Dubé est toujours un événement intéressant, mais qui ne passionne plus. Faut-il redire que le personnage le plus vrai, le plus vivant de son monde reste la jeune fille, qu'elle s'appelle Ciboulette, Florence ou Geneviève, et même la « vieille fille » comme Virginie qui donne son titre à une œuvre dramatique en quatre parties, que son auteur, curieusement, considère comme une pièce plus ou moins bien faite.

allés à l'école du Père Legault, de Ludmilla Pitoëff, de Paris ou d'ailleurs. Ils ont appris à parler, à marcher, à porter une hallebarde sans avoir l'air ridicule et un costume sans avoir l'air déguisé. Nos décorateurs ont appris à remplir un espace scénique sans encombrer la pièce, et nos metteurs en scène à diriger. Bref, malgré des hauts et des bas, des échecs et des crises, l'entreprise théâtrale se porte plutôt bien à Montréal aux débuts des années soixante. On y fait du travail soigné, net, professionnel, suivant des standards internationaux et, par conséquent, tout à fait exportable. Le Théâtre du Nouveau-Monde, qui s'apprête à célébrer triomphalement son dixième anniversaire avec *l'Opéra de quat'sous*, donne la preuve — il l'a déjà donnée à Paris en 1955 — qu'il excelle dans Molière, tout comme les Compagnons d'antan. Les amateurs de boulevard parisien retrouvent facilement le chemin du Rideau-Vert qui s'installe au Théâtre Stella de la rue Saint-Denis ; on y joue avec conscience et succès les représentants de l'esprit parisien : Roussin, Barillet et Grédy, Jacques Deval. Animé par Monique Lepage et un ancien « compagnon », Jacques Létourneau, le Théâtre-Club tente, depuis 1956, de se trouver un répertoire, lequel, pour le moment, oscille entre Racine et Diego Fabbri. De son côté, le Théâtre de la Poudrière, que dirige, depuis 1958, Janine Beaubien, parcourt le répertoire universel et polyglotte. Enfin, ceux qui trouveraient trop académiques ou pas assez audacieux le style et le répertoire de ces théâtres professionnels peuvent se rendre dans les quartiers excentriques chez les Apprentis-Sorciers (1958-1968) où Jean-Guy Sabourin met en scène Ionesco, Adamov ou Kleist, ou encore à l'Égrégore (1962-1968) voir, dans des décors de Mousseau, l'inquiétante *Fin de partie* de Beckett.

Et le théâtre canadien-français parmi toute cette activité théâtrale ? Malgré la bonne volonté exprimée à sa fondation de contribuer à l'« établissement d'un théâtre canadien », le T.N.M. n'a pas oublié l'échec de *l'Œil du peuple* de Langevin, ni les salles désertes à la présentation des *Taupes* de François Moreau, et il préfère jouer carte sûre en présentant *le Dindon* de Feydeau. L'une des rares incursions [3] du Théâtre-Club en dramaturgie canadienne-française ne lui a pas non plus porté chance : la critique trouve trop grinçants *les Violons de l'automne* de Jacques Languirand, mis en scène par Jean Doat. Le salut du théâtre d'ici proviendrait-il de la bien nommée Comédie-Canadienne, de ce théâtre, fondé en 1958, par Gratien Gélinas même, pour faire connaître les dramaturges locaux, et qui, contre toute attente, avait inauguré sa première saison avec *The Lark* de Jean Anouilh? En 1960, on y présente *le Cri de l'engoulevent* de Dufresne, *Brutus* de Toupin, *Bousille et les justes* de Gélinas, *Florence* de Dubé.

Huit ans après sa création, la tragédie de Toupin, la première pièce canadienne-française à connaître l'honneur d'une reprise, tient le coup. En passant de la télévision à la scène, *Florence* de Dubé n'a rien perdu de son réalisme touchant. *Le Cri de l'engoulevent* s'effondre — le public aurait parfois raison — sans doute parce que « la pièce hésit(ant) entre le tableau paysan et le drame psychologique, personne y trouve son compte [4] ». Gratien Gélinas, encore lui, réussit à éponger provisoirement le déficit de la Comédie-Canadienne en y débitant, de façon très habile, la tranche de vie de *Bousille et les justes* où se traîne une sorte de Fridolin demeuré, infirme et blanc de peur et s'agite un frère Nolasque qui n'aura qu'à défroquer pour tenir l'emploi de Symphorien.

Aux débuts des années soixante, le fait théâtral canadien-français se trouve donc, le professionnalisme de nos scènes en moins, quasiment ramené à la situation qui prévalait quelque dix ans plus tôt, alors que les premières tentatives d'une dramaturgie indigène alignaient les noms de Gélinas, de Leclerc, d'Éloi de Grandmont et de Paul Toupin, en somme, le sketch de revue mélodramatisé, la fête au village, le drame paysan et la tragédie classique. Avec le recul historique, l'on sait que notre théâtre renoncera définitivement au peplum romain et

3. Précisons que, sur les quarante spectacles montés par le Théâtre-Club, dix étaient québécois.

4. Jean-Cléo Godin, « Le théâtre », dans *Etudes françaises*, vol. 6, nº 4, novembre 1970.

qu'avant d'adopter l'habit de ville, il se re-vêtira volontiers de courtepointes et autres oripeaux folkloriques. À vrai dire, il piétine singulièrement tout au long de la période 1960-1964. (L'exception; *Qui est Dupressin?*, un « événement isolé » célébré en 1961 à l'Égrégore et où il est démontré que le petit catéchisme de notre enfance est à Gilles Derome ce que la méthode Assimil fut à Ionesco. Avec un égal succès.) Notre théâtre frôle même la mort en 1962, du moins disparaît-il sur les scènes montréalaises où pas une seule nouvelle pièce d'auteurs canadiens n'est alors créée. En 1963, le public peut aller savourer *À l'auberge des morts subites* de Félix Leclerc le goût du bon-pain-de-chez-nous qui sort du four du *Petit Bonheur* (1964) ou bien retrouver l'esprit de Gélinas qui fait son *Diable à quatre* (1964). Entretemps, pour ceux qui ne mangeraient pas de ce pain-là, la Boulangerie des Apprentis-Sorciers s'est attaquée à une pièce de résistance, *Au cœur de la rose* (1963) de Pierre Perreault. Poésie garantie avec vent du large, accent rocailleux des aïeux, et filles belles comme la mer. De « l'ouvrage dépareillée ». Peu porté sur le pittoresque poético-folklorique, le Théâtre des Saltimbanques né le 12 juillet 1962, à la suite d'une scission qui s'était produite au sein des Apprentis-Sorciers, affiche, à la même époque un auteur inconnu, pourtant précurseur d'Ionesco : Romain Weingarten.

Tout cela confirme la règle suivant laquelle les époques révolutionnaires n'engendrent pas des dramaturgies révolutionnaires; mais il faut bien constater que la nôtre de révolution était bien tranquille. Remarquons cependant — le recul du temps permet de le reconnaître — que les troupes marginales de l'Égrégore, des Apprentis-Sorciers, des Saltimbanques ont joué un rôle considérable dans l'évolution de notre théâtre, aussi considérable que celui de la Nouvelle Compagnie théâtrale qui, fondée en 1963, s'était donnée pour mission de « présenter aux étudiants les chefs-d'œuvre de la dramaturgie universelle », car non seulement elles ont initié des spectateurs à des formes dramaturgiques nouvelles, mais elles ont encore formé des acteurs, des animateurs, peut-être des auteurs, — n'est-ce pas au théâtre des Saltimbanques que l'on voit associés les noms de Brassard et de Tremblay? — forgé un style, un langage scénique et, ainsi, préparé sans doute l'avènement d'un théâtre nouveau au Québec.

DU CENTRE D'ESSAI DES AUTEURS DRAMATIQUES AU CYCLE DES BELLES-SŒURS

En ce sens, est aussi importante la formation, en 1965, du Centre d'essai des auteurs dramatiques dont la fonction consistera à « réunir des auteurs pour encourager et promouvoir l'écriture dramatique, pour permettre un échange de vues entre des écrivains, diffuser des textes dramatiques et, surtout, de présenter au public des lectures de textes originaux [5] ».

Mil neuf cent soixante-cinq marque également l'avènement d'un auteur dramatique : Françoise Loranger, romancière tard venue au théâtre et dont l'œuvre partage, avec celle de Dubé, la particularité d'offrir, non pas deux cycles, mais deux manières : l'une qui ressortit aux techniques traditionnelles du théâtre dit psychologique; l'autre qui s'apparenterait aux techniques plus récentes du « happening », du psychodrame, voire du *Living Theatre.* Appartiennent à la première veine *Une maison... un jour* (1965), pièce trop proche — de l'aveu même de l'auteur — de la forme romanesque et *Encore cinq minutes* (1967), drame d'une famille qui se désagrège et libération d'une femme qui découvre l'enivrement de penser par et pour elle-même. Malgré quelques accents mélodramatiques, déjà sensibles dans le titre, l'intention apologétique est imperceptible; le dialogue n'a rien du ronron socio-psychosociologique des œuvres dites « à message », bien que, après tout, il ne soit pas si farfelu d'y voir, le symbole d'un Québec humilié qui cherche le chemin d'une libération nationale. Quoi qu'il en soit, à partir de 1965-1966, le théâtre reflétera de plus

5. Luc Perreault, « Le Centre d'essai des auteurs dramatiques », *la Presse,* 22 octobre 1966, cité par Hélène Beauchamp-Rank, « La vie théâtrale à Montréal de 1950 à 1970 : théâtres, troupes, saisons, répertoires », *le Théâtre canadien-français,* Archives des Lettres canadiennes, Montréal, Fides, 1976, p. 279.

en plus les problèmes sociopolitiques qui agitent alors le Québec. *Medium saignant* (1970) — le titre est excellent par son ambiguïté « joualisante » — traite du problème de la langue au Québec et des dangers qu'y court le français (?). Les spectateurs invités à participer, cela provoquera de singulières « prises de la parole », d'incroyables défoulements collectifs, de même que le test de comportement, qui est à la base de *Double Jeu* (1969), provoqua un véritable « happening » ; prenant l'invitation au mot, un jeune couple de professeurs bondirent sur la scène, se déshabillèrent en un temps record et, tout en s'inondant du sang d'un coq qu'ils venaient d'égorger, crièrent « Paix au Vietnam » ! Le scandale a sans doute contribué à l'énorme succès de la pièce (pièce pour voyeurs, somme toute), car l'incontestable réussite, dans la veine « participationnelle », reste *le Chemin du Roy* (1968) écrit en collaboration avec Claude Levac, auteur de *l'Âme à poil*. Plutôt qu'une pièce, c'est un canevas, plus un spectacle à voir qu'une œuvre à lire. Sous la forme d'un match de hockey, — le spectacle sportif est toujours un drame, souvent une tragédie —, les auteurs ont entrepris de faire revivre, avec toutes ses répercussions, la visite en 1967 du général de Gaulle. Au centre de la patinoire du Forum, telle une Tour Eiffel, se dresse une gigantesque structure métallique représentant les pieds et les jambes du Général. Fédéralistes et séparatistes se font face. L'équipe du Québec l'emportera sur celle d'Ottawa. À la fin de la joute, tous les « nègres blancs », fleurs de lys sur la poitrine, entonneront, sur l'air de *We shall overcome*, leur nouvel hymne national.

Également inspiré par la visite du Général de Gaulle, Robert Gurik, dans *Hamlet, prince du Québec* (1968), choisit de mettre en relief le drame que recèle le chef-d'œuvre de Shakespeare. Il ne se contente pas de l'adapter, ni même de le traduire. Il en tire une tragédie nationale ou plutôt, le pastiche et la parodie aidant, une sorte de sotie tragique assez peu éloignée, somme toute, de l'esprit shakespearien. C'est dans le royaume du Québec qu'il y a quelque chose de pourri, et le spectre du général apparaît, non pas sur les remparts d'Elseneur, mais au désormais historique balcon de l'Hôtel de ville de Montréal. Hamlet lit *Cent ans d'injustice.* Ophélie se noie dans le Lac à l'Épaule. Au « *to be or not to be* », le Prince du Québec n'ajoute qu'un mot, un seul : « libre », et tout change : la folie d'être s'empare de tout un peuple.

A cœur ouvert (1969) relève, selon l'auteur, de la tragédie-bouffe; l'opération est toutefois, au plan théâtral, complètement ratée en dépit de l'originalité du prétexte : une Banque du cœur qui possède son armée d'arracheurs de cœurs qui marchent au pas de l'hymne américain. Le *Pendu* (1967) se veut — il l'est d'ailleurs — une Passion moderne : le Christ-Yonnel mourra étouffé par la corde porte-bonheur dont tous les personnages veulent un bout. *Api 2967* (1971), joué en 1966, sous le titre *Api or not Api*, relève de la futurologie fantastique, mais braquée sur le présent : la découverte d'un corps céleste démontre l'existence d'une civilisation du verbe où les mots « amour » et « paix » constituent pour les savants des énigmes hiéroglyphiques. À l'exemple des *Bonnes* de Genet, un fait divers sert de donnée au *Procès de Jean-Baptiste M.* (1972) qui est en même temps le procès de la société capitaliste : un employé, qui s'estime injustement congédié, tue ses patrons. De l'œuvre de Gurik, *le Procès de Jean-Baptiste M.* marque peut-être « le résultat des recherches (qu'il) a menées dans les deux domaines de la thématique et de la technique [6] ». Mais la distanciation brechtienne ne doit devenir trop distante car, même si l'on aligne objectivement des faits éloquents, encore faut-il qu'une parole éclatante réussisse à provoquer le spectateur. Or, le public clairsemé du TNM ne se sentira nullement concerné par cette adroite expérience dramaturgique dénuée de verbe et de verve. *Allo... Police* (1974), présenté en lecture publique sous le titre de *Hello... Police* en 1971, semble plus efficace qu'un procès au/de théâtre. Écrite en collaboration avec Jean-Pierre Morin, l'auteur de *Vive l'Empereur!*, qui en a « québécisé » le langage (Gurik est d'origine bretonne), *Allo... Police* est une comédie

6. Hélène Beauchamp-Rank, « Le procès de Jean-Baptiste M. », *Livres et auteurs québécois*, p. 111.

musicale qui conteste la comédie musicale. Satire des multiples facettes de la répression policière, elle utilise abondamment les ressources de la farce, des moyens spectaculaires, tout l'arsenal du jeu théâtral : une véritable « revue d'agit-prop ».

Un coup d'œil rapide sur la carrière théâtrale de Gurik, qui a déjà publié un *Lénine* (1975), laisserait croire qu'il lorgne trop souvent la mode du jour. Mais l'ambition de ce dramaturge prométhéen, ingénieur de formation, est de créer un théâtre québécois révolutionnaire, politique, c'est-à-dire efficace. Voilà pourquoi, chez lui, Brecht tente de faire bon ménage avec Shakespeare, Beckett avec Gatti. Mariage parfois réussi quand la poésie et l'humour s'y mêlent, mais lorsque la métaphore est trop lourde, l'allégorie trop insistante et la démonstration trop appuyée, l'ennui (et le vieillissement précoce) guette ce genre de théâtre de réflexion politique et de recherches formelles.

Toutefois, bien avant Gurik, mais avec des fortunes variables, d'autres auteurs avaient exploré des voies moins battues de la création théâtrale. Jacques Languirand, qui a délaissé la scène pour s'occuper des machines à communiquer, s'était livré, dès 1956, à une expérience d'écriture automatique dans ses *Insolites* et avait, par la suite, signé des œuvres d'allure beckettienne, des anti-pièces dans la foulée d'Ionesco : *les Grands Départs* (1956), *le Gibet* (1960). Claude Gauvreau (1925-1971) avait essayé, ainsi que le souhaitait Antonin Artaud, de faire parler à la scène un langage très concret. Mais son refus global de tout réalisme fut d'abord accueilli par des rires hystériques. On ne le prendra au sérieux qu'après sa mort, quand le Théâtre du Nouveau-Monde s'avisera en 1972 de monter, de somptueuse manière, *les Oranges sont vertes*. Enfin, Jacques Ferron, à ses débuts, s'était tourné vers les formes anciennes de la farce et de la commedia dell'arte pour nous donner l'œuvre peut-être la plus lisible de notre théâtre et, par là-même, peut-être la moins spectaculaire. En tout cas, en 1968 le public (et la critique) sera insensible à la liturgie historique de ses *Grands Soleils* dont le verbe éblouissant sera éclipsé par le « joual » informe des *Belles-Sœurs* de Michel Tremblay.

La création de cette pièce, refusée au Dominion Drama Festival, acceptée sans trop de conviction par la direction du très respectable Théâtre du Rideau-Vert, toujours jouée par la suite à guichets fermés, fit scandale. Ce fut un événement capital pour l'histoire du théâtre québécois. Aussi important que *Zone* et *Tit-Coq*. Tragédie du langage sous ces airs de comédie rosse, « patchwork » de monologues à plusieurs voix, *les Belles-Sœurs* n'offrent ni intrigue, ni action : tout en collant des timbres-primes gagnés par une voisine, quinze femmes, sœurs par la détresse physique et morale, se racontent des histoires, leur histoire; elles débitent calomnies, médisances, injures; elles « jasent », et leur papotage est atroce. Jamais on avait jeté un regard si cruel sur la société québécoise, ni exposé, de si lucide manière, ses tares les plus cachées. Jamais, surtout, on était allé aussi loin dans l'utilisation du parler populaire montréalais. Les audaces langagières, en leur temps, de Gratien Gélinas ou de Marcel Dubé semblent langage châtié, comparées au « joual » terrorisant, quelquefois lyrique dans la démesure, de Michel Tremblay. Ce « joual », on le réentendra dans *En pièces détachées,* dans son chœur de « waitresses » ainsi que dans le monologue de sa commère prompte à épier les voisins ou à deviner se qui se passe derrière les stores baissés, par exemple l'arrivée intempestive d'une sorte d'androgyne fellinien, fils demi-fou que l'on cache au fond d'un asile.

Confiné la plupart du temps au gynécée québécois de la cuisine, l'univers dramatique de Tremblay est essentiellement féminin. Il ne s'en éloigne guère — en sort-il vraiment? — que pour nous permettre d'écouter la confession générale, douloureusement drôle, d'une vieille « pédale » : *la Duchesse de Langeais* (1969). Sans doute, parce que la plus théâtrale, son œuvre la plus forte. On songe à Genet ou — s'ils étaient dramaturges — à Duvert, à Burroughs. Pièce sociopolitique si l'on en croit Tremblay : « Il n'y pas d'hommes au Québec. (...) On est un peuple qui s'est déguisé pendant des années pour ressembler à un autre peuple. On a été travesti pendant trois cents ans [7] ». Que signifie alors *Hosanna* (1973), sorte de monologue à deux voix, aussi ordurier, moins puissant que *la Duchesse de Langeais?* On serait tenté de répondre avec la vulgarité de Jacqueline Barrette : « Ça-dit-qu'essa-à-dire », si Denis Saint-Jacques n'avait pas très justement décelé dans ce « spectacle de deux homosexuels qui dans un magnifique et sordide jeu des apparences s'entredéchirent comme on ne l'avait pas vu depuis Genet », que « le vrai se trouve à la surface, dans l'illusion même, (que) le théâtre s'y constitue d'apparence et (que) plus il triche, mieux il joue [8] ».

À toi pour toujours, ta Marie-Lou (1971) emprunte à Beckett ses personnages-troncs vissés à leur fauteuil et à la musique — le « joual » étant très « lyreux » — une rigoureuse structure. Cantate « cheap », dira l'une des interprètes. Cela commence, en effet, comme un lamento et s'achève dans le quatuor cacophonique des voix qui crient — thèmes récurrents chez Tremblay — l'impossibilité de communiquer et la difficulté de franchir les portes de l'enfer familial. À moins que l'on ne consente à devenir la martyre, dérisoire, de *Sainte Carmen de la Main* (1976), il faut donc accepter la fatalité des amours incestueuses comme dans *Bonjour là, bonjour* (1974). *Happy Ends* ambigus qui annoncent, sinon la fin, du moins un tournant dans l'œuvre de Tremblay, dont il est encore difficile d'apprécier avec exactitude l'impact et la portée, sans doute considérables.

Cependant, des faits demeurent, incontestables. Peu de pièces ont, comme celles de Tremblay, *les Belles-Sœurs* en particulier, fait autant parler d'elles, suscité davantage de controverses; été si souvent reprises et jouées (partout, y compris à l'Espace Pierre Cardin de Paris) ; figuré aussi rapidement aux programmes de littérature des collèges, voire des universités; attiré un public aussi hétérogène : des habitués de boulevard, des défenseurs de l'avant-garde, des jeunes

7. « Michel Tremblay », dans *Nord*, Montréal, Ed. de l'Hôte, 1971, p. 42, 58.

8. Denis Saint-Jacques, « Des Canadiens, des Québécois, une Acadienne », dans *Etudes françaises*, vol. 10, nº 2, novembre 1973, p. 156.

qui ne connaissaient que le cinéma, des spectateurs qui n'étaient pas retournés aux théâtres depuis l'avènement de la télévision. En d'autres termes, le panorama théâtral au Québec n'est plus tout à fait le même après Tremblay. Brusquement, à partir de 1968, les choses vont se mettre à changer. Très vite.

TREMBLAY ET APRÈS

D'abord, comme pour en marquer la distance et l'autonomie, on ne dit plus « théâtre canadien-française » mais bien « théâtre québécois ». Soudain, on s'avise, non de son existence que personne ne songe plus à mettre en doute, mais de son originalité et de son importance qui tient du phénomène et qui soulève l'intérêt des universitaires, des linguistes, des sociologues, des critiques, des impresarii, des éditeurs. On y consacre des articles, des conférences, des livres. Le Centre d'essai des auteurs dramatiques, où s'était tenue la première lecture publique des *Belles-Sœurs,* reçoit de plus en plus de textes de jeunes inconnus dont il se fera l' « agent de promotion ». « De janvier 1968 à décembre 1969 — précise un communiqué de presse — le Centre d'essai a accueilli 39 nouveaux auteurs, reçu 59 textes, organisé 12 tables rondes où furent étudiées 33 pièces d'auteurs du Centre, tenu 14 lectures publiques, réalisé 5 expériences-laboratoires, publié le premier numéro de Théâtre-Québec, lancé une affiche, signé un contrat de publication avec la maison d'édition Leméac (4 pièces par année), publié en collaboration avec Holt, Rinehart et Winston, le dernier numéro de Théâtre vivant (*les Comédiens* de Roger Dumas). »

De leur côté, les étudiants ne se contentent plus d'étudier le théâtre d'ici, ni de le jouer, ils le mettent en scène, ils l'écrivent. Ainsi, l'année de sa fondation (1969), le Centre d'essai de l'Université de Montréal monte, de l'étudiant Dominique de Pasquale, ***l'Arme au poing ou larme à l'œil*** dont le titre annonce et résume l'action de la pièce : les personnages auront alternativement l'arme au poing ou larme à l'œil. Chacun des personnages, numérotés comme chez Beckett, changera de rôle, de fonction, jouera à la chaise musicale du dominé/dominant. « Je fais du théâtre comme on fait du jazz : pour développer de façons multiples un même thème », reconnaît Dominique de Pasquale. La comédie musicale, *On est pas sorti du bois* (1972) paraît emprunter à *Qui est Dupressin* ses mannequins, ses monologues à Deschamps ou à Barrette de l'importance du monologue dans le théâtre québécois [9] ses chœurs à Tremblay, son hymne final à Loranger, sa fable à la farce. Pourtant, malgré les emprunts apparents, l'œuvre est dégagée, personnelle, originale et l'une de ses répliques — « Avant, le sauvage se cachait au fond du bois, asteur, c'est le bois qui se cache au fond du sauvage » — semble, comme en écho, répondre à une autre, célèbre aussi, de *Demain matin, Montréal m'attend* : « Tu peux sortir la fille de l'Est, mais pas l'Est d'la fille. »

C'est encore au Centre d'essai de l'Université de Montréal que l'on crée en 1971, dans une mise en scène inventive de Gilbert David et un dispositif scénique très ingénieux de Michel Demers, la machinerie-revue de Sauvageau (1946-1970) : *Wouf-Wouf;* moins un fourre-tout comme certains l'ont cru qu'une véritable anthologie à l'usage des partisans d'un nouveau théâtre, quasiment une pièce-manifeste, une sorte de *Théâtre et son double,* mais québécois.

D'autre part, — influence réelle ou simple interférence, effet d'entraînement ou coïncidence? — la plupart des nouveaux dramaturges écrivent exclusivement, mais avec des variantes, en « joual » et voient, aussitôt jouées, leurs œuvres publiées. De la quinzaine de titres qu'elle comporte en 1968, l'édition théâtrale passe, en moins de sept ans, à la soixantaine et les créations québécoises de quarante-deux en 1968 passent à soixante-dix-sept en 1969. Nulle troupe officielle, c'est-à-dire plus ou moins largement subventionnée par l'État, ne songe à organiser une saison sans s'assurer la première d'une pièce québécoise ou, à défaut, de l'adaptation « joualisante » (et

9. Phénomène remarquable qui n'a pas encore été examiné en profondeur.

parodique)[10] d'une œuvre de Shaw, de Corneille, de Lanoux, de Zindel, à moins que ce ne soit la création d'une pièce acadienne, et l'on aura alors, en 1972, l'intéressante surprise de *la Sagouine* — un autre monologue — d'Antonine Maillet laquelle réussit le tour de force, contrairement à Gélinas, mais à l'exemple de Deschamps, de créer, avec une « cajune », un type populaire québécois.

Enfin, — hasard ou nécessité? — des romanciers, des poètes, des historiens, des professeurs, des animateurs de théâtre s'essaient au métier de dramaturge. Certains réussissent; entre autres Roch Carrier et, l'un des auteurs les plus joués de ces dernières années, Michel Garneau dont l'univers dramatique se situe entre l'amour et l'humour, la cruauté et le lyrisme, la violence et la douceur, la « rage bleue » et le « fonne noir ». Un monde à la frontière du réel et un réel à la bordure de la poésie. Chantre de la vie qui frôle le bonheur, de la liberté amoureuse et de la paix des sexes retrouvés, — il y a du Genet chez lui, du Miller (Henry) aussi, un peu de Perreault, un peu de Tremblay —, Garneau est excellent dramaturge quand il n'oublie pas qu'il est d'abord poète et qu'il nous enseigne *l'Usage du cœur dans le domaine du réel*[11] ou qu'il secoue, dans *Quatre à Quatre* (1975), l'arbre généalogique tordu de nos frustrations-aliénations sexuelles.

Quant à Carrier, ses personnages débordaient déjà de tant de vie dans son roman qu'il lui a suffi de les lâcher sur la scène du Port-Royal pour ajouter à leur existence romanesque une autre dimension, farcesque, car c'est bien une vraie farce breughelienne que *la Guerre, yes Sir!* (1970).

Afin de permettre aux « intellectuels » d'en discuter, de ce théâtre nouveau, on invente la formule des représentations-débats, et pour permettre aux travailleurs (?) de le voir, celle du « théâtre-midi ». C'est ainsi que les Montréalais, tout en avalant un sandwich, découvrent en 1973, l'œuvre non négli-

10. Une étude de la parodie et l'adaptation dans le théâtre québécois reste à faire.

11. Pièce inédite, jouée admirablement par la Rallonge au Centre d'essai de l'Université de Montréal en 1975.

geable d'un débutant de la ville de Québec, Jean Barbeau. L'une de ses premières pièces s'intitule — pourquoi s'en étonner? — *Joualez-moi d'amour* (1970) où sont démontrés les pouvoirs virilisants du « joual » bien maîtrisé et illustré, un peu lourdement, le dicton : « Chassez le naturel, il revient au galop. » Autre farce moralisante de Barbeau : *Manon Lastcall* (1970), une Manon Lescault transformée en Zazie québécoise, une Clémence Desrochers devenu guide de musée (de la langue française?) et dont le sabir à la Sol, mâtiné de Tremblay, fait merveille : « Icitte... vous avez toute l'art moderne... Gaugaine, Manette, Pique-Assiette, Balthazar Dali, le maudit Gliani, Donald Lautrec... Last call ! on farme. » Le propos, ici, serait-il plus beckettien, du genre « on est en parlant » ou encore « on naît en parlant » comme dans *le Goglu* (1971) où le personnage du même nom attend Godot, rêve de danseuse aux seins nus sur quelque île polynésienne et finit par jeter au fleuve Saint-Laurent, calme comme le temps arrêté, les « p'tits Goglus » figés de sa masturbation? Est-ce le Christ incarné qu'a rencontré *Solange* (1970) ? On serait porté à le croire en écoutant son long et doux monologue moins fleur bleue que *flower power*. Avant de chanter un déplorable *Chant du sink* (1973), Barbeau écrit un *Chemin de Lacroix* (1970) tragico-comique, plus actuel que parodique, une « épopette-balai », *la Coupe stainless* (1971), et sa meilleure pièce, *Ben-Ur* (1971) où est montrée la difficulté d'être un héros québécois, même de bandes dessinées. Synthèse risible de Tit-Coq et de Tarzan de *Zone*, *BEN*oît-*UR*bain Théberge apparaît, dans notre galerie dramatique, comme le plus ressemblant de nos portraits collectifs. « Cerveau d'enfant et âme de boy-scout [12] », Ben-Ur réalise ses chimères d'adolescent attardé, non dans le mariage ou la contrebande, mais dans les bandes dessinées dont il sortira héros fatigué lorsque, promu agent de la Brook's Brink's, il tuera un vrai voleur avec un vrai « gun ». De la bande dessinée, le théâtre de Barbeau possède le style direct, le rythme accéléré, le dessin/dessein

12. Laurent Mailhot, « Le chemin de Lacroix, Goglu et Ben-Ur », dans *Livres et auteurs québécois*, 1971, p. 114.

élémentaire, rapidement appréhensible, un comique de la dérision très vivant, très visuel, très gestuel.

Par ailleurs, des praticiens contestant le théâtre-texte et le théâtre officiel, s'exercent à la création collective. À leur tour, les acteurs, remettant en question la dictature de l'écrivain, la « tyrannie » (?) du metteur en scène, l'autorité sur scène (et dans la vie), y apprennent un nouvel art de jouer, de créer et d'élaborer. Le dramaturge se met à leur service : il devient — ou se prétend — scribe public, auteur sur commande, pourvoyeur textuel [13]. À propos, l'aventure du Théâtre du Même-Nom, auquel on associe généralement le nom de Jean-Claude Germain, est l'une des plus significatives. Fondé en 1969, le T.M.N. — ne pas confondre avec le T.N.M. — inaugure, la même année, sa première saison au Centre de Théâtre d'Aujourd'hui avec la création collective des *Enfants de Chénier dans un autre grand spectacle d'adieu.* Pourquoi commencer par un spectacle d'adieu? Parce que, précise le programme, « avant de recommencer à neuf et de se consacrer exclusivement au théâtre québécois, les Enfants de Chénier ont senti le besoin de faire l'inventaire, de liquider le vieux « stock », les vieux meubles, les vieilles perruques, et d'inviter le public à une vente de feu ». Le vieux « stock » comprend alors Corneille, Molière, Marivaux, Musset, Giraudoux, Anouilh, etc. Au reste, les spectacles suivants des Enfants de Chénier, qui deviennent les P'tits Enfants Laliberté en 1971, sont presque tous en forme d'adieu (à la famille, à la politicaillerie, à la bondieuserie, à la Radio-Télévision assurante et rassurante, aux cowboys de Saint-Tite...), des dénonciations-récupérations du « kitch-quétaine » québécois, des exorcismes collectifs par le rire, des soties où sots et folles en liberté lâchent « les mots à l'épouvante » sur la scène étroite et pauvre du Théâtre d'Aujourd'hui de Montréal.

D'autres artisans- partisans de la création (et de l'improvisation) collective préfèrent l'errance des anciens saltimban-

13. A ce sujet, voir par exemple « Garneau, écrivain public », dans *Jeu,* cahiers de théâtre 3, été-automne 1976, p. 46-59.

ques, et, à la scène fixe, les tréteaux de fortune. Ainsi, en mêlant, dans ses spectacles, musique, danse, dialogue et gestuelle du cirque, le Grand Cirque ordinaire — grand « parce qu'il déborde le cadre du cirque traditionnel » et ordinaire « parce qu'il ne déborde pas des cadres de la vie telle que le monde la voit » — le Grand Cirque ordinaire tente en 1969, et réussit, un retour au batelage, à un théâtre théâtralement pur où se confondent joie de jouer et plaisir — mine de rien — de théâtraliser, dans la fête commune, des réalités moins drôles. À travers les clowneries, les chansons et les blagues de *T'es pas tannée, Jeanne d'Arc?* (1969), le procès de Jeanne d'Arc, qui « voulait qu'un pays, malgré tous ses défauts, soit lui-même », sert de point de référence à la situation prévalant au Québec. De même *le Québécois? ou T'en rappelles-tu Pibrac* (1971) est une tragédie musicale à double histoire, à double entente. À la situation honteuse faite aux ouvriers-chômeurs du village de Pibrac, au Saguenay, répond en contrepoint une histoire abrégée du Québec, écrite par Georges Dor : *le Québéquoi?* Le Grand Cirque ordinaire ou un nouveau style de jeu.

De nombreuses troupes naissent, qui prennent le relais des théâtres de poche des années 50-60. Mais, au lieu de révéler Vauthier, Arrabal ou Weingarten, elles présentent des auteurs d'ici ou — cas le plus fréquent — leurs propres créations. Des troupes dont les noms étonnants résument et annoncent le message théâtral et/ou politique qu'elles vont un peu partout livrer : dans les centres communautaires, dans les collèges et universités, dans les maternelles, dans les cours d'usine ou de ferme, transformant ainsi la géographie théâtrale du Québec. Des troupes (communes, coopératives) qui font du théâtre d'agitation, de propagande, de guerilla ou d'animation et qui s'appellent par exemple, le Théâtre Euh ! [14],

14. Gérald Sigouin a écrit, dans *Jeu*, nos 2 et 3, deux articles décrivant l'aventure théâtrale de cette troupe. Voir également « Euh », dans *le Théâtre au Québec 1950-72*, Montréal, Ed. de l'Hôte, 1973, p. 47-58.

le Théâtre d'la shop, le Théâtre des Cuisines [15], Le Parminou [16], La Marmaille (théâtre des/pour enfants)...

Outre le « joual » qui en est le dénominateur commun le plus flagrant, ces créations théâtrales présentent d'autres analogies : celles des thèmes (absence du père, aliénations politique, sociale, culturelle, ... sexuelle des Québécois, leur aphasie) et, aussi, celles des formes qui ne sauraient, toutefois, être réductibles car, pour aboutir à une théâtralité littérale, mécanisée, avouée, le nouveau théâtre québécois emprunte ses procédés aussi bien à la tragédie antique, à la farce, au cirque ou à la comédie musicale qu'à Brecht, à Piscator, à Pirandello, au Living ou au Bread and Puppet. Toutes ses pièces, ou presque, renoncent à la psychologie du théâtre traditionnel dont elles bousculent les conventions de temps, d'espace, d'action, d'intrigue linéaire. Et, en dépit de l'accumulation fréquente de signes, très « naturalistes », d'une réalité amplifiée, la plupart obéissent à une structure rappelant le « collage » ou le « puzzle ». Ainsi que le suggère le titre d'une œuvre de Tremblay, elles sont, en effet, souvent construites « en pièces détachées ». Il est même plausible de penser que la sensibilité, sinon la perception, du spectateur s'en trouvera modifiée. Non qu'il boudera le théâtre « bourgeois » de Dubé par exemple, mais il s'habituera à lire l'écriture discontinue de la nouvelle dramaturgie québécoise. Il ne sera plus victime de la « narrativité emprisonnante » d'une histoire dont il attend anxieusement le dénouement.

En somme, la période post-Tremblay se caractérise par l'émergence de nombreux auteurs scéniques, par le foisonnement d'expériences esthétiques diverses [17], par la multiplica-

15. Le Théâtre des Cuisines a publié aux éditions du Remue-Ménage, en 1976, un manifeste et le texte de son premier spectacle : *Môman travaille pas, a trop d'ouvrage.* Le théâtre de Cuisines est un groupe de femmes qui « ont envie de parler avec d'autres femmes des problèmes spécifiques aux Femmes ».

16. Lorrain Hébert et Gilbert David ont rassemblé un volumineux dossier sur une production du Théâtre Parminou, « L'argent ça fait-y votre bonheur », dans *Jeu*, nº 1, hiver 1976, p. 25-74.

17. A ce propos, on lira de Laurent Mailhot, « Orientations récentes du théâtre québécois », *le Théâtre canadien-français*, Archives des Lettres canadiennes, Montréal, Fides, 1976, p. 319-340.

tion de troupes de théâtre, professionnelles, amateurs, marginales, toutes dévouées à la cause du théâtre québécois, par la naissance d'une nouvelle race d'acteurs agissant autant sur scène que dans la vie et de dramaturges travaillant « sur commande », par l'avènement d'un nouveau public passionné par la création théâtrale d'ici. Toutes mutations et transformations considérables et rapides mais dont il serait exagéré d'attribuer la responsabilité au seul Michel Tremblay. Mais imagine-t-on notre vie théâtrale sans lui, sans ses *Belles-Sœurs* qui ont fait brusquement vieillir les valeurs consacrées de notre mince répertoire?

À leur tour, Tremblay et ses épigones — tout le théâtre québécois d'ailleurs — manifestent des signes de fatigue depuis quelque temps. Aucune révélation étonnante depuis un ou deux ans. Les valeurs sûres à la « Bourse du théâtre québécois [18] » demeurent toujours Dubé, Loranger, Tremblay, Germain, Garneau, Barbeau. Nos auteurs auront donc été les victimes de leur trop rapide consécration. L'entreprise théâtrale les a forcés de suivre le rythme essoufflant d'une production à la chaîne. Si le talent d'un Dubé s'était épuisé à tenter de cumuler le double emploi d'écrivains pour la scène et de scénariste pour la télévision, que dire d'un Tremblay qui a écrit onze pièces en autant d'années? Mais ce n'est pas parce qu'il y a des reprises que le théâtre québécois se porte mal maintenant (ce serait, au contraire, la preuve de sa vitalité et de sa valeur d'actualité), ni parce qu'il s'est officialisé qu'il a perdu son caractère de provocation.

Après avoir piaffé d'impatience, notre jeune théâtre, le « joual » surtout, était parti pour entreprendre quelque chevauchée fantastique, mais, enfermé dans une sorte de huis-clos thématique, il piétine désormais sur place et n'arrive pas à sortir du « *kitchen-sink realism* ». Ses coups de gueule, trop forts, trop répétés, trop assourdissants, on finit par ne plus les entendre. Son « brutalisme », beaucoup moins troublant, en

18. J'emprunte l'expression à Martial Dassylva dans son article « Comment le Théâtre se porte-t-il? Pas très bien, merci », *la Presse*, 19 février 1977.

devient rassurant à tel point qu'il est légitime de se demander si le « cycle Tremblay » n'est pas en train de se transformer indûment en « cycle sirop d'érable », s'il n'est pas en train de se « folkloriser ». Quant à l'autre théâtre, de création collective, ou plus manifestement militant, son « corset idéologique » étouffe souvent ses aspirations et détruit son efficacité, quand il ne tombe pas, après avoir tant décrié le « théâtre-texte », dans le poncif du théâtre sans texte (scénique).

Mais l'essoufflement des animateurs de la vie théâtrale québécoise permettra peut-être la re-découverte de dramaturges que nos auteurs consacrés d'aujourd'hui et, avant eux, Dubé, Gélinas, avaient relégués dans l'ombre, à la radio, à la télévision ou sur les rayons des bibliothèques : Brault, Kattan, Ferron, Ricard. À la vérité, il y a quand même des promesses de renouvellement d'une autre « génération » d'écrivains scéniques dont les œuvres semblent donner un son neuf : peut-être Simard et Sirois, certainement Mercier et Morency. D'ailleurs *Jeu,* une revue de fondation récente, qui se consacre à l'étude du théâtre québécois, ne nous apprend-elle pas qu'il existe plus d'une centaine de « groupes de théâtre qui travaillent au/le Québec ». Il serait dès lors étonnant que le fait théâtre québécois s'abîme plus avant dans son auto-contemplation. Il se trouvera sans doute des dramaturges pour écrire, comme Stendhal le disait de l'utilité du dôme de Saint-Pierre de Rome, des pièces qui servent « à faire battre le cœur », et d'autres artisans du travail théâtral pour réaffirmer avec un homme de théâtre assez connu : « Le plaisir que le théâtre procure est sa seule justification, à vrai dire indispensable et suffisante (...) On ne devrait même pas lui demander d'enseigner quoi que ce soit, sinon peut-être la manière de prendre du plaisir à se mouvoir sur le plan physique ou dans le domaine de l'esprit » (Bertolt Brecht).

la littérature québécoise contemporaine 1960-1977

IV L'ESSAI

FRANÇOIS RICARD

LE CORPUS

On ne peut guère, pour dresser un tableau d'ensemble de l'essai québécois depuis 1960, procéder tout à fait de la même manière que pour le roman, la poésie ou le théâtre, catégories relativement bien établies et qui ne posent à peu près pas de problèmes, par conséquent, quand il s'agit de délimiter leurs corpus respectifs. Il n'en va pas du tout de même, en effet, pour l'essai, genre-charnière extrêmement difficile à définir si bien qu'on ne sait jamais trop ce que doit comporter exactement son corpus et ce qui doit en être exclu.

La pratique la plus répandue est celle qui considère comme essai tout livre impossible à ranger dans les catégories traditionnelles du récit, de la poésie ou du théâtre, c'est-à-dire tout ce que les Américains appellent la *nonfiction*. C'est la méthode employée, par exemple, dans la revue *Livres et auteurs canadiens* [1] jusqu'en 1972. Or si l'on procède ainsi,

1. Devenue *Livres et auteurs québécois* à partir de 1969.

un premier fait retient aussitôt l'attention : c'est le nombre considérable de tels ouvrages parus au Québec depuis le début des années soixante, et ce dans tous les domaines : en critique littéraire, en critique d'art, en histoire et géographie, en droit et sciences sociales, en philosophie et religion [2], partout les titres se multiplient à un rythme sans précédent. Cette profusion et cette diversité, qui tranchent par rapport à la relative rareté des publications pendant les époques précédentes, ont certainement une signification sociologique importante, dans la mesure où elles reflètent certaines transformations majeures de la société québécoise au cours des quinze ou vingt dernières années : scolarisation, développement de la recherche et de la réflexion scientifiques, relèvement de ce qu'on pourrait appeler le taux de circulation des idées, etc. Mais d'un point de vue plus strictement littéraire, ce phénomène n'a qu'une signification limitée, vu que la *nonfiction* ne peut guère, à moins d'abus de langage, être confondue purement et simplement avec le domaine de l'*essai*.

Il faut donc, avant de pouvoir dire quoi que ce soit de l'essai québécois contemporain, commencer par dégager de ce vaste fourre-tout de la *nonfiction* un corpus homogène d'ouvrages qui, sans être des romans, des poèmes ou des pièces de théâtre, appartiennent néanmoins au champ de la « fiction » ou de la littérature proprement dite. Pour ce faire, se pose d'abord le problème de la définition du genre : qu'est-ce qui, parmi la liste innombrable des ouvrages non romanesques, non poétiques et non dramatiques, peut être considéré comme essai véritable? Ce n'est évidemment pas ici le lieu de débattre théoriquement de la définition de l'essai [3]. Mais il faut quand

2. Ce sont les catégories employées par *Livres et auteurs québécois* en 1970, 1971 et 1972.

3. Il existe, en français, peu de travaux théoriques sur l'essai. On se reportera surtout à trois excellents articles de Jean Marcel : « Forme et fonction de l'essai dans la littérature espagnole » (*Etudes littéraires*, vol. 5, nº 1, avril 1972, p. 75-88), « Essai » (article inédit, à paraître dans le *Dictionnaire international des termes littéraires*, 6 p.) et « Forme et colère » (préface du *Journal d'un inquisiteur* de Gilles Leclerc, Montréal, Ed. du Jour, 1974, p. 19-28), articles dont s'inspirent largement les considérations qui suivent. On consultera aussi le numéro spécial de la revue *Etudes littéraires* mentionné ci-dessus, qui porte entièrement sur l'essai et comprend notamment des études de G. Lukacs, Ortega y Gasset, F. Ouellette, J. Bonenfant, etc.

même délimiter un certain « espace » si l'on veut peindre un « paysage » un peu cohérent. Tout en rejetant la pratique récemment adoptée par *Livres et auteurs québécois* [4] de réserver le titre d'« essai » aux seuls ouvrages de *nonfiction* qui traitent de littérature, vu que cette pratique a le caractère arbitraire de toute classification fondée sur le contenu et qu'il me semble essentiel, au contraire, de considérer l'essai comme une *forme* littéraire caractérisée, je propose de distinguer l'essai de l'ouvrage scientifique par le mode lyrique ou intuitif qu'y emprunte le discours réflexif, c'est-à-dire par la présence d'un JE qui y affirme sa propre et singulière subjectivité. Cette subjectivité est aussi ce qui peut, d'un autre côté, distinguer l'essai du discours idéologique ; non que l'idéologie soit absente de l'essai, mais elle y est intériorisée, en quelque sorte, assumée et réinventée personnellement par un JE qui la rapporte à lui-même au lieu de s'y conformer comme à une norme extérieure. Il n'y a pas si loin, en effet, du discours scientifique au discours idéologique, puisque l'un et l'autre impliquent une « décentration » ou une oblitération du JE dans le discours extérieur, impersonnel et « objectif ». Dans l'essai, au contraire, règne la subjectivité, qui tend à s'y donner pour l'origine absolue de sa parole et de sa connaissance. « Je suis moi-même la matière de mon livre », écrit Montaigne au lecteur.

Autre caractéristique de l'essai : le langage, qui, de simple instrument qu'il est dans le texte scientifique ou idéologique, y devient le lieu même de la recherche. Le langage de l'essai, en effet, est autant, sinon plus, « performatif » qu'« informatif » ; le signifiant y fait plus que transmettre le signifié, il l'invente, le modèle, agit constamment sur lui. Et l'essai, en ce sens, appartient peut-être autant à l'ordre du poème qu'à celui du discours.

Il faudrait évidemment approfondir, préciser et compléter ces propositions, qui ne visent nullement à donner une définition générale de l'essai, mais simplement à tirer en

4. Dans les livraisons portant sur les années 1973, 1974, 1975 et 1976.

quelque sorte du côté de la « fiction » certains ouvrages trop souvent confondus, perdus dans la *nonfiction* et qui, malheureusement, ne sont pas lus alors pour ce qu'ils sont vraiment. Le lire comme écriture, comme forme, est en effet le seul moyen de rendre à l'essai son autonomie et de le distinguer de l'ensemble des textes discursifs auxquels son contenu risque de le confondre. Le seul moyen de distinguer, par exemple, parmi les ouvrages de sociologie, de philosophie, d'histoire ou de critique littéraire, ceux qui relèvent véritablement de l'essai de ceux qui sont plutôt du côté de la science ; de ne plus ranger dans la même catégorie, comme le faisait *Livres et auteurs canadiens, l'Autorité du peuple* de Pierre Vadeboncœur et *les Comportements économiques de la famille salariée au Québec* (1965), ou encore *le Canadien-français et son double* de Jean Bouthillette et les *Travaux du sixième colloque de droit comparé* (1972) ; de ne plus traiter de la même manière les écrits critiques de Paul Wyczynski et ceux d'André Brochu ou de Gilles Marcotte ; ou même de distinguer, à l'intérieur de la production d'un écrivain (par exemple Fernand Dumont), les ouvrages qui sont des essais (*Pour la conversion de la pensée chrétienne, la Vigile du Québec*) de ceux qui relèvent plutôt de l'écriture scientifique (*la Dialectique de l'objet économique, les Idéologies*). La frontière, j'en conviens, est parfois incertaine, et il peut fort bien arriver, avec le temps, que notre lecture d'un ouvrage le lui fasse peu à peu franchir, le tirant du champ scientifique ou idéologique où il s'était d'abord situé vers celui de la littérature, ce qui est bien souvent, du reste, une manière de le sauver (je pense à *l'Avenir du peuple canadien-français* d'Edmond de Nevers, publié en 1896 comme un ouvrage de sciences sociales, ou aux premiers livres de Lionel Groulx, historiographiques comme *la Confédération canadienne* (1918) et *la Naissance d'une race* (1919), ou idéologiques comme *Notre maître le passé* (1924), et que nous relisons aujourd'hui, que du moins nous devrions relire comme des essais, c'est-à-dire avant tout comme des textes de fiction, dont l'écriture et le lyrisme dépassent, sinon égalent en importance et en intérêt le message). Ainsi, si l'essai devra continuer de relever de l'histoire des idées, il est à souhaiter que l'histoire littéraire le récupère aussi, et qu'elle le récupère véritablement, c'est-à-dire que disparaisse le déséquilibre selon lequel le roman et la poésie sont seuls considérés du point de vue de leur forme alors que l'essai n'est généralement étudié qu'en fonction de ses contenus. Cette « récupération », ce rapatriement de l'essai reste évidemment à faire.

Le tableau fidèle de l'essai québécois depuis 1960 ne peut donc être dressé que si l'on retient de la masse des ouvrages de *nonfiction* ceux-là seuls qui sont justifiables d'une telle lecture. Ce tri réduit évidemment le corpus, qui demeure tout de même assez considérable, mais qui révélera mieux ainsi ses principales lignes de force.

LES RECUEILS

La grande majorité des essais, depuis 1960, sont des recueils, c'est-à-dire le produit d'un regroupement, après coup, de textes d'abord parus dans des périodiques, et ce aussi bien dans le domaine de l'essai philosophique ou politique (Pierre Vadeboncœur, Ernest Gagnon, Placide Gaboury, Jacques Godbout, etc.) que dans celui de l'essai littéraire (Gilles Marcotte, Jean Éthier-Blais, André Brochu, Jacques Brault, etc.). Ce phénomène n'est ni propre à la littérature québécoise ni anormal. Au contraire, l'essai se prête parfaitement, comme écriture de la « pensée inachevée [5] » et asystématique, à cette esthétique de l'ouverture et de la fragmentation qui caractérise tout recueil de textes courts. De plus, la réunion en recueil est souvent ce qui confère à maints textes brefs leur véritable qualité d'essais, en les détachant de la circonstance particulière (événement politique, rencontre, lecture, etc.) qui les a suscités et qui risquait d'obscurcir leur autonomie comme textes, pour les projeter dans un nouveau contexte, celui du recueil justement, où se laisse mieux voir non seulement la spécificité de leur écriture, mais aussi leur appartenance à un espace intellectuel plus personnel. L'essai

5. L'expression est de Joseph Bonenfant (*Etudes littéraires*, vol. 5, nº 1, avril 1972, p. 15-21).

court, quand il passe du journal ou de la revue au recueil, entre dans un nouveau système de rapports : la nécessité qui le faisait dépendre de l'événement et considérer comme une réaction immédiate à cet événement, s'estompe au profit d'une autre nécessité, qui y était inscrite dès le départ sans doute, mais que seule la republication en recueil met vraiment en lumière, c'est-à-dire sa nécessité intérieure, ce qui, en lui, le lie non plus aux circonstances extérieures mais bien aux autres parties du recueil, aux autres essais avec lesquels il compose dès lors une œuvre aussi unifiée et autonome, en un sens, qu'un roman ou un texte poétique.

C'est ce qui se passe, par exemple, pour les *Escarmouches* de Jacques Ferron ou *l'Instance critique* d'André Brochu : dans ces deux cas, comme dans tous les cas semblables, leur publication en recueil projette sur des textes qui sont souvent des écrits de circonstance, comme on dit, un nouvel éclairage grâce auquel, une fois cette circonstance à peu près oubliée, ils peuvent devenir l'objet d'une lecture moins attentive à la seule diversité de leur contenu qu'à la cohérence de leur forme et à l'unité dynamique de la pensée ou de l'attitude mentale qui les fonde.

Mais cette pratique éditoriale n'a pas seulement des avantages. Elle comporte aussi, pour qui étudie l'histoire de l'essai, et surtout son histoire récente, un inconvénient sans doute mineur mais qu'il ne faut pas perdre de vue : celui de créer, entre les textes et l'époque où ils ont été écrits, un décalage plus ou moins considérable, qui peut risquer, si l'on n'effectue pas les corrections nécessaires, de fausser les interprétations. Il ne faut pas oublier, par exemple, que *la Ligne du risque* de Pierre Vadeboncœur, même si elle a été publiée en 1963, réunit des textes écrits entre 1945 et 1962, ou que *le Réformiste* de Jacques Godbout, paru en 1975, regroupe des articles dont les plus importants appartiennent en fait à la période 1960-1966.

Cette précaution s'impose pour aborder le tableau de l'essai québécois depuis 1960, tableau qui demeurera forcément très général et provisoire, étant donné, d'une part, le manque de recul, et, d'autre part, l'absence à peu près complète d'études le moindrement fouillées sur les essayistes québécois contemporains même les plus significatifs et les plus unanimement reconnus [6].

1960-1967

On peut d'abord établir deux points. Le premier, c'est que l'essai québécois a connu depuis 1960 une floraison sans précédent. Aucune autre période de notre histoire littéraire ne se compare en effet à cette quinzaine d'années pour le nombre et la qualité des essais publiés. Presque inexistant jusqu'en 1940, l'essai apparaît peu à peu entre les années 1950 et 1960, pour devenir après 1960 un genre majeur, comme nous le constaterons.

L'autre point à établir, c'est, pour mieux comprendre le développement de l'essai durant les années 1960-1976, la nécessité de diviser cette période en deux temps : 1960-1967 et 1968-1976, la ligne de démarcation n'étant évidemment pas absolue et pouvant être déplacée légèrement, pourvu que soit préservé le caractère nettement binaire de cette période, caractère qui ne vaut d'ailleurs pas seulement pour l'essai mais aussi, comme on l'admet de plus en plus, pour la poésie, le

6. Peu d'études ont été consacrées jusqu'ici à l'histoire de l'essai québécois. On lira cependant avec profit les chapitres VII et VIII du tome IV de l'*Histoire de la littérature française du Québec* de Pierre de Grandpré (Montréal, Beauchemin, 1969, p. 265-371), ainsi que les articles de Jean Marcel (« Les forces provisoires de l'intelligence — Cinq ans d'essais 1960-1965 », dans *Livres et auteurs canadiens 1965*, Montréal, Jumonville, 1966, p. 23-32), de Robert Vigneault (« L'essai québécois : la naissance d'une pensée », dans *Etudes littéraires*, vol. 5, nº 1, avril 1972, p. 59-73), de Fernand Dorais (« L'essai au Canada français 1930-1970 : lieu d'appropriation d'une conscience », dans *Revue de l'Université laurentienne*, vol. V, nº 2, février 1973, p. 113-137) et d'Alonzo Leblanc (« L'essai ou la quête de la liberté », dans *Québec français*, nº 21, mars 1976, p. 27-28). On pourra aussi relire les chroniques de Robert Vigneault, Laurent Mailhot, Joseph Bonenfant, Robert Giroux et Jean-Pierre Duquette sur l'essai et la critique dans *Etudes françaises* (6, 1, février 1970; 6, 2, mai 1970; 7, 1, février 1971; 7, 2, mai 1971; 8, 1, février 1972; 8, 2, mai 1972; 9, 2, mai 1973; 10, 2, mai 1974; 11, 2, mai 1975). Enfin, on trouvera des idées utiles sur le sujet en consultant la transcription d'une émission diffusée à Radio-Canada le 23 novembre 1976 et intitulée *l'Essai 1967-1976*, avec la collaboration d'André Belleau, Renald Bérubé et Marcel Rioux.

théâtre et même, quoique dans une moindre mesure, pour le roman.

Ce qui distingue ces deux temps ou ces deux « vagues », c'est, tout d'abord, la génération à laquelle appartiennent la majorité des essayistes qui s'y sont illustrés. Commençons par les années 1960-1967, en rappelant quelques titres parmi les plus représentatifs : *Journal d'un inquisiteur* de Gilles Leclerc (1967) [7], *Essais sur l'homme* de Jean Tétreau (Pierre Guillaume, 1960), *Convergences* de Jean LeMoyne (HMH, 1961, textes datés de 1941 à 1961), *Lettres à une provinciale* de Roger Duhamel (Beauchemin, 1962), *le Scandale est nécessaire* de Pierre Baillargeon (Jour, 1962), *Une littérature qui se fait* de Gilles Marcotte (HMH, 1962, textes datés de 1951 à 1962), *la Ligne du risque* de Pierre Vadeboncœur (HMH, 1963), *l'Homme d'ici* d'Ernest Gagnon (HMH, 1963) [8], *Mon Babel* de Pierre Trottier (HMH, 1963), *Pour la conversion de la pensée chrétienne* de Fernand Dumont (HMH, 1964), *l'Autorité du peuple* de Vadeboncœur (l'Arc, 1965), *Dix Ans de vie littéraire au Canada français* de Pierre de Grandpré (Beauchemin, 1966), *Approximations* de Maurice Blain (HMH, 1967, textes datés de 1951 à 1966), *Signets* de Jean Éthier-Blais (CLF, 1967), *Notre société et son roman* de Jean-Charles Falardeau (HMH, 1967, textes datés de 1959 à 1966), *le Thème « Terre des hommes »* de Gabrielle Roy (Cie canadienne de l'Exposition, 1967), et quelques autres ouvrages qui, quoique publiés un peu plus tard, sont à ranger dans le même courant, comme *le Choix* de Baillargeon (HMH, 1969), *le Temps des poètes* de Marcotte (HMH, 1969), *l'Âge de la littérature canadienne* de Clément Moisan (HMH ,1969), *Géographies* de Louis-Marcel Raymond (HMH, 1971, textes remontant jusqu'en 1944) et *l'Homme inchangé* de Placide Gaboury (HMH, 1972) [9].

7. Paru aux Ed. de l'Aube. Réédité en 1974, aux Ed. du Jour, avec un avertissement de l'auteur et une préface de Jean Marcel.

8. Cet ouvrage avait d'abord paru en 1952. La nouvelle édition de 1963 est augmentée de deux textes plus récents : *Visage de l'intelligence* et *Infantilisme religieux.*

9. André Langevin, dont les très nombreux articles et essais, publiés entre 1946 et 1969 surtout, n'ont malheureusement pas été réédités, appartient aussi à ce groupe. Cf. André Gaulin, « André Langevin essayiste », dans *Voix et images du pays, VII,* Montréal, P.U.Q., 1973, p. 151-165.

Comment caractériser globalement cette première vague d'essayistes québécois? Des traits communs ressortent assez nettement. La plupart d'entre eux sont nés autour de 1920, c'est-à-dire appartiennent à une génération marquée principalement par *la Relève* puis par *Cité libre,* et dont les beaux jours ont été ceux de l'antiduplessisme et de la contestation du nationalisme conservateur au nom d'un spiritualisme et d'un humanisme à tendance fortement individualiste et universaliste. Aussi ce qu'exprime cet essai québécois des années 1960-1967, c'est d'abord et avant tout le climat intellectuel et idéologique de la décennie précédente, au cours de laquelle, d'ailleurs, la plupart de ces textes ont été écrits, mais peu répandus, leur diffusion devant attendre, pour s'imposer, la Révolution tranquille qui, à cet égard, a moins inventé qu'elle n'a utilisé les thèmes idéologiques élaborés entre 1945 et 1960. Cette période fut, à proprement parler, un « déblocage », l'explosion au grand jour des idées et des œuvres qui couvaient plus ou moins secrètement depuis une quinzaine d'années.

Robert Vigneault a étudié cette « naissance d'une pensée » québécoise, qu'il situe autour de 1940 mais qui se manifestera surtout dans les essais du début des années soixante. « L'apparition au Québec d'une forme nouvelle comme l'essai, écrit-il, signale notre accession pure et simple à la pensée [10] », indiquant par là la relation très étroite qu'il convient d'établir entre l'entrée dans ce qu'on pourrait appeler l' « âge de l'essai » et la fin du monolithisme idéologique qui avait rendu aussi périlleuse qu'improbable, dans le Canada français d'avant la Deuxième Guerre mondiale, l'expression d'une pensée et la recherche d'une écriture résolument individuelles, marginales, hétérodoxes, conditions indispensables à l'émergence et à la pratique de l'essai. Aussi ce dernier se trouve-t-il lié dès son apparition à ce qu'on pourrait nommer la génération « libérale » qui, à la doctrine nationale séculaire, oppose le droit à la recherche individuelle, au repli défensif l'ouver-

10. « L'essai québécois : la naissance d'une pensée », *Etudes littéraires,* vol. 5, nº 1, avril 1972, p. 64.

ture vers les « convergences », au magistère sécurisant du passé la « ligne du risque ».

L'essai type de ces années se présente comme un recueil de textes au style extrêmement travaillé, un peu précieux même, et souvent abstrait, portant en partie sur le Québec (sa littérature, son histoire, ses institutions) mais principalement sur des thèmes dits « universels », de morale, d'histoire, de religion, de littérature ou de philosophie. Les références à l'actualité locale ou aux auteurs d'ici y sont plutôt rares, comme si la pensée y avait précisément pour but de s'exercer en dehors du contexte socioculturel immédiat, ou contre lui, dans un effort constant pour se rattacher aux courants extérieurs qui seuls peuvent la légitimer. Aussi l'essai est-il surtout, à cette époque, une œuvre de rupture et de distanciation, où le JE s'affirme par son opposition au milieu et dans une liberté conçue comme le refus nécessaire (et plus ou moins global) des valeurs culturelles ambiantes. « Nous sommes un peuple qui, par l'idée, a singulièrement désappris l'homme[11] », nous disent, de ces marges de l'idéologie officielle où les place leur condition d'essayistes, les Vadeboncœur, Leclerc, LeMoyne, Tétreau et compagnie. Ce furent, à n'en pas douter, les grandes années de l'essai québécois, celles non seulement de son émergence, mais aussi de son affirmation comme parole singulière, lyrique, émanée d'un JE poursuivant, dans l'extériorité d'une culture qu'il lui fallait repenser en rapport avec soi-même, poursuivant, dis-je, son propre apaisement.

DEPUIS 1968

La seconde « vague » d'essayistes québécois, qui se manifestera surtout à partir de 1967 ou 1968, est moins homogène que la première, du moins en ce qui concerne l'âge et l'allégeance idéologique de ses principaux représentants. En effet, à côté d'écrivains nés autour de 1930, comme Fernand Ouellette (*les Actes retrouvés,* HMH, 1970, textes écrits entre 1956 et 1970), Jacques Brault (*Alain Grandbois,* Seghers, 1970;

11. Pierre Vadeboncœur, *la Ligne du risque,* Montréal, HMH, 1963, p. 19.

Chemin faisant, La Presse, 1975, textes datés de 1964 à 1971), Hubert Aquin (*Point de fuite,* CLF, 1971, textes datés de 1961 à 1970; *Blocs erratiques,* Quinze, 1977), Gaston Miron (*Recours didactique,* paru dans *l'Homme rapaillé,* PUM, 1970, textes datés de 1957 à 1965), Jean Bouthillette (*le Canadien-français et son double,* l'Hexagone, 1972) ou Jacques Godbout (*le Réformiste,* Quinze, 1975, textes datés de 1961 à 1975), qui forment le noyau de ce second groupe, il faut ranger, d'une part, des essayistes un peu plus âgés qui, comme Jacques Ferron (*Du fond de mon arrière-cuisine,* Jour, 1973; *Escarmouches,* Leméac, 1975, textes datés de 1948 à 1975) ou Marcel Rioux (*la Question du Québec,* Seghers, 1969 [12]), en sont pour ainsi dire à leurs premières œuvres dans le domaine, ou qui, comme Fernand Dumont (*le Lieu de l'homme,* HMH, 1968; *la Vigile du Québec,* HMH, 1971, textes datés de 1959 à 1970), Gilles Marcotte (*le Roman à l'imparfait,* la Presse, 1976) et surtout Pierre Vadeboncœur (*Lettres et colères,* Parti pris, 1969, textes datés de 1963 à 1968; *la Dernière Heure et la première,* l'Hexagone/Parti pris, 1976; *Indépendances,* l'Hexagone/Parti pris, 1972; *Un génocide en douce,* l'Hexagone/Parti pris, 1976, textes datés de 1964 à 1976), connaissent ce qu'on peut peut-être appeler un « second souffle », une seconde période de production un peu différente de la première, et, d'autre part, quelques essayistes plus jeunes dont, notamment, Pierre Vallières (*Nègres blancs d'Amérique,* Parti pris, 1968), Jean Marcel (*Jacques Ferron malgré lui,* Jour, 1970; *le Joual de Troie,* Jour, 1973) et André Brochu (*l'Instance critique,* Leméac, 1974, textes écrits entre 1961 et 1974).

Tout en respectant la grande diversité de ces œuvres et de ces écrivains, diversité qui n'est d'ailleurs pas sans constituer, par rapport à la précédente, une caractéristique significative de cette seconde « vague » de l'essai québécois contemporain, il demeure tout de même possible, me semble-t-il, d'y discerner quelques tendances relativement homogènes, dont la

12. Seconde édition revue et augmentée, chez Seghers en 1971; nouvelle édition revue et augmentée d'un chapitre, chez Parti pris en 1976.

principale est évidemment l'élaboration d'une nouvelle thématique nationale.

Certes, la question nationale a dominé l'ensemble de la littérature québécoise depuis ses tout débuts, tout comme le nationalisme a été à coup sûr la grande ligne de force de notre histoire politique. Aussi, dire d'une période donnée qu'elle a été préoccupée par le nationalisme équivaut-il pratiquement à ne rien dire, à moins de préciser plus avant la forme et le contenu particuliers de ce nationalisme, les interrogations précises auxquelles il a donné lieu ou les images concrètes qu'il a nourries [13]. Dans les années quarante et cinquante, comme on sait, le vieux nationalisme conservateur, incarné surtout par Lionel Groulx, est soumis à une critique systématique et rejeté de toutes parts au nom du libéralisme et d'une volonté générale d'ouverture à ce qu'on appelait alors l'« universel ». Et c'est justement cette critique et ces nouvelles valeurs qu'expriment la plupart des essais publiés entre 1960 et 1967. La question nationale, chez le premier Vadeboncœur, chez Jean LeMoyne ou chez Gabrielle Roy, quoique résolue de manière négative, pourrait-on dire, ne cesse donc pas pour autant de se poser. C'est un certain nationalisme qu'on récuse, non l'urgence du problème national. En ce sens, ces essayistes (comme en général les intellectuels de l'époque de *Cité libre*) auront eu pour rôle non seulement de disqualifier l'ancien nationalisme mais aussi (à leur insu parfois) de préparer la voie au nouveau nationalisme qui émergera après 1960 et qui marquera, notamment, les essais publiés depuis 1967.

Ce n'est pas le lieu de décrire ici le nationalisme québécois actuel. Bornons-nous donc à constater, dans les essais parus entre 1967 et 1975, cette émergence, cet envahissement, devrait-on dire, de la question nationale. Que sont en effet les meilleurs d'entre ces essais — je pense par exemple au *Recours*

13. Cette « polyvalence » du nationalisme québécois a été bien mise en lumière par Léon Dion, *Nationalismes et politique au Québec*, Montréal, HMH, 1975.

didactique, à certains écrits de Paul Chamberland [14], d'André Brochu, de Jacques Brault ou d'Hubert Aquin, au *Canadien-français et son double,* au *Lieu de l'homme,* à *la Dernière Heure et la première* — sinon des tentatives non pas tant de clarifier cette question que d'approfondir l'inquiétude « existentielle » et le désarroi qu'elle provoque? Je dis bien : l'inquiétude, car ces textes ne sont vraiment des essais que parce que le problème national y est moins examiné d'un point de vue politique ou idéologique que pris en charge, assumé subjectivement, lyriquement, pourrait-on dire, par une conscience qui, à travers lui, s'interroge elle-même et interroge son propre rapport à la culture. Et c'est ainsi, à mon avis, que ces textes devraient être (re)lus : non pas tant comme des manifestations d'une nouvelle volonté collective (ce qu'ils sont aussi, mais en second lieu) que comme la tentative, de la part d'un JE divisé, tendu, d'explorer et de résoudre cette tension en la projetant, par l'écriture, dans un NOUS à la fois réel et mythique.

Mais de la projection à la fusion, il n'y a souvent qu'un pas. Le franchir, c'est-à-dire laisser supplanter le JE par le NOUS, c'est en même temps s'acheminer vers un autre type de discours, plus près du manifeste que de l'essai. Or pour toutes sortes de raisons, la question nationale, après être demeurée un temps et chez quelques-uns à l'état de question, a eu tôt fait, vers le début des années soixante-dix, de se « dépersonnaliser » et de se transformer en « projet » national, c'est-à-dire en un discours impersonnel, extérieur, commandant l'adhésion ou le refus pur et simple et réfractaire, par conséquent, à sa prise en charge par une conscience ou une écriture qui pût y affirmer sa subjectivité et sa singularité [15].

14. Paul Chamberland a publié plusieurs essais importants dans *Parti pris* (cf. Joseph Bonenfant, *Index de « Parti pris » 1963-1968,* Sherbrooke, CELEF, 1975), dont un seul, cependant, a été repris en volume (« De la damnation à la liberté », dans l'ouvrage collectif intitulé *les Québécois,* Montréal, Parti pris, 1971, p. 75-113). Il faut donc souhaiter que paraisse le plus tôt possible un recueil complet de ces textes.

15. Très significative, à cet égard, est la réaction de Pierre Vallières à la parution du *Canadien-français et son double* de Jean Bouthillette en 1972. Bouthillette, écrit Vallières, « réduit (son drame) à une crise intérieure, à une crise de conscience intimiste, philosophique, presque reli-

Réfractaire, en un mot, à l'essai, et analogue, *mutatis mutandis,* à la « doctrine nationale » d'avant 1940.

Loin de moi l'intention de dénoncer cette évolution, qui a sûrement eu sa nécessité et sa fonction aux plans social et politique. Mais on peut, je pense, la déplorer en ce qui concerne l'essai. Celui-ci, comme le notait à juste titre André Belleau, est fondé sur la « différence[16] », c'est-à-dire qu'il tend non seulement à repousser les idées reçues, mais aussi à s'établir en marge ou à l'envers des idéologies, des unanimités et de toute parole collective. Aussi ne voit-on plus guère, depuis quelques années, de véritable essai consacré à la « question nationale », qui est d'ailleurs beaucoup moins aujourd'hui une question qu'un programme politique précis. Cette fixation, cette « désubjectivation » de la thématique nationale s'est faite autour de 1970, et l'on peut trouver, dans *Nègres blancs d'Amérique* ou dans certaines pages d'*Indépendances* de Pierre Vadeboncœur, les derniers véritables essais axés sur elle. Depuis, la question nationale a inspiré beaucoup de textes, dont le prototype serait, si l'on veut, le programme du Parti Québécois, les éditoriaux du quotidien *le Jour* ou encore la récente Charte de la langue française, c'est-à-dire des textes de combat, d'explication, de réflexion politique, ou tout ce que l'on voudra, mais non plus, comme auparavant, des œuvres de « fiction ».

Mais le plus étonnant, c'est qu'on ne trouve pas davantage d'essais en marge de la rhétorique nationaliste, si ce n'est quelques ouvrages isolés d'écrivains qui se sont déjà manifestés durant les années précédentes et qui continuent, après 1970, avec une fidélité et ce qu'il faut bien appeler un courage assez remarquables, à écrire des essais : ainsi en va-t-il,

gieuse, somme toute individualiste, d'où sont absentes les dimensions sociales, économiques et politiques du colonialisme »; or, ajoute l'auteur des *Nègres blancs,* « la majorité des indépendantistes n'en sont plus à s'interroger sur les tribulations d'une conscience malheureuse, mais à construire, dans l'action, un pays, une liberté, un avenir à eux » (*le Devoir,* Montréal, 7 avril 1973; Pierre Vadeboncœur a répondu à cette critique dans *le Devoir* du 14 avril 1973).

16. André Belleau, dans *l'Essai 1967-1976,* émission radiophonique du 23 novembre 1976, p. 7 de la transcription.

par exemple, de Fernand Ouellette (*Depuis Novalis,* HMH, 1973; *Journal dénoué,* PUM, 1974) ou de Jean Éthier-Blais (*Dictionnaire de moi-même,* La Presse, 1976). À part ces rares exceptions, c'est-à-dire du côté des nouveaux courants de pensée apparus au cours des cinq ou sept dernières années et qui sont pourtant, dans une très large mesure, antinationalistes et donc, serait-on d'abord tenté de croire, favorables en principe au type d'écriture et de réflexion libres propres à l'essai, on n'en recontre, curieusement, à peu près aucun. Les productions du formalisme, du marxisme et de la « nouvelle culture », en dehors de la poésie, du théâtre et du récit, ne sont en effet, la plupart du temps, guère plus que des dissertations plus ou moins brillantes qui, loin de reformuler subjectivement un corps d'idées ou une vision de la culture, reproduisent simplement une doctrine ou un discours le plus impersonnel possible et érigent en principe absolu, exclusif, soit l' « objectivité», soit au contraire la « spontanéité », c'est-à-dire les deux pôles à égale distance desquels, justement, se tient l'écriture de l'essai. Si bien que c'est uniquement par abus de langage qu'on pourra parler d'essai à propos, par exemple, du *Questionnement socra/cri/tique* de Patrick Straram (l'Aurore, 1974) ou de *l'Action restreinte de la littérature* de Philippe Haeck (l'Aurore, 1975), puisque rien, en effet, n'est plus éloigné de l'essai que le délire, le scrabble ou la prédication.

AUJOURD'HUI

Déjà, en 1971, Jacques Godbout réclamait l'abattement de notre « mur des lamentations » et la désacralisation du « texte national [17] », indiquant par là la nécessité de voir s'exprimer ici une pensée personnelle en dehors (je ne dis pas *contre,* mais *en dehors*) de la thématique nationaliste sans que cela la disqualifie *ipso facto.* Que s'est-il passé? Aujourd'hui, et quoique les « lamentations » aient plutôt fait place aux hymnes, le « texte national » règne en maître incontesté.

17. Jacques Godbout, « Ecrire », texte publié dans *Liberté* en novembre 1971 et repris dans *le Réformiste,* Montréal, Quinze, 1975, p. 147-157.

Mais surtout, ce qu'on a vu apparaître en marge de ce « texte national », ce sont généralement d'autres textes sacrés, d'autres orthodoxies, tout aussi hostiles au « discours réflexif de type lyrique [18] », c'est-à-dire à l'essai, qui fuit par définition toute forme de psittacisme.

On se ferait une idée assez juste de cette évolution de l'essai au cours des vingt-cinq ou trente dernières années en observant la succession de quelques-unes des principales revues d'analyse et de combat où s'est exercée l'écriture d'idées depuis 1950. Deux revues correspondent à peu près à ce qu'on peut appeler notre « phase libérale », l'une anti-nationaliste : *Cité libre* (fondée en 1950), l'autre marquant, entre autres choses, les débuts du nouveau nationalisme : *Liberté* (fondée en 1959). Ensuite vint *Parti pris* (1963-1968), où s'effectua en quelque sorte le passage d'une certaine pratique lyrique du discours nationaliste et progressiste (Chamberland, Brochu, Aquin, Miron) à la pensée « dure » et anti-subjectiviste des dernières années de la revue, pensée qui allait désormais dominer dans toute une série de publications consacrées surtout à la défense et à l'illustration plus ou moins dogmatiques de doctrines bien constituées : *Mainmise* (fondée en 1970), *Stratégie* (fondée en 1972), *Brèches* (fondée en 1973), *le Jour* (fondé en 1974, refondé en 1977), *Chroniques* (fondée en 1975).

Ainsi, en un sens, l'« âge de l'essai » québécois aura-t-il été relativement court. Le temps de mettre fin (ou de contribuer à mettre fin) à une unanimité et d'en préparer une autre. Entre l'ancien et le nouveau nationalismes, entre la rigidité conservatrice et les orthodoxies actuelles, entre 1940 et 1970 environ, l'essai occupe une sorte d'intervalle que j'ai nommé la « phase libérale » de notre histoire récente, comme l'expression peut-être la plus fidèle d'une certaine pratique de l'écriture et de la liberté que l'urgence du combat collectif interdit le plus souvent, sauf par distraction, pourrait-on dire,

18. Jean Marcel, « Les forces provisoires de l'intelligence — Cinq ans d'essais 1960-1965 », dans *Livres et auteurs canadiens 1965.*

ou lorsque ce combat oblige momentanément ses participants à faire trêve pour renouveler leurs concepts et leurs stratégies. Au fond, il n'est peut-être pas si illusoire qu'on l'a dit de penser que l'indépendance, quand elle se produira, aura des chances de permettre l'exercice véritable, l'exercice « normal » de la littérature. En tous cas, elle ouvrira peut-être une nouvelle voie à l'essai, si elle a pour résultat de régler son affaire à notre cher et redondant nationalisme. D'ici là, patience, quoique déjà, depuis quelque temps, certains signes de renouveau semblent apparaître et annoncer, qui sait, l'émergence d'une pensée et d'une écriture moins « alignées ». Je pense, entre autres, à certains textes dispersés d'écrivains comme André Brochu, Jacques Godbout, Pierre Nepveu, Yvon Rivard [19], à Victor-Lévy Beaulieu même, dont le dernier ouvrage (*N'évoque plus que le désenchantement de ta ténèbre, mon si pauvre Abel*, VLB, 1976) représente un effort de renouvellement assez prometteur de la problématique nationale, et surtout à l'impatience de plus en plus généralisée qui s'empare des jeunes écrivains face aux orthodoxies de tous ordres. Peut-être l'essai est-il sur le point de connaître un nouvel âge de fécondité.

19. Lire notamment, d'André Brochu : « Autour d'Octobre » (*Interventions*, 1, Montréal, Quinze, 1975, p. 10-28), « Le nouveau consensus » (*le Devoir*, Montréal, 9 avril 1977) et « La littérature québécoise d'hier à demain » (*Liberté*, nº 111, mai-juin 1977) ; de Jacques Godbout : « Or, le cycle du sirop d'érable dure donc » (dans *le Réformiste*, p. 192-198) ; de Pierre Nepveu : ses chroniques de poésie dans la revue *Lettres québécoises* (Ottawa, 1976-1977) et son article sur « La poésie et quelques questions » (*Liberté*, nº 111, mai-juin 1977) ; d'Yvon Rivard : « *Un amour libre* ou l'expérience de l'image » (dans l'ouvrage collectif *Un homme libre : Pierre Vadeboncœur*, Montréal, Leméac, 1974, p. 87-96), « Libération et indépendance » (*Liberté*, nº 103, janvier-février 1976, p. 3-8) et « L'épreuve du regard » (*Liberté*, nº 111, mai-juin 1977).

l'avenir de la littérature québécoise

AUX PRISES AVEC LA RÉALITÉ DU DEDANS SURGIE

NICOLE BROSSARD

Il en est du futur comme du passé mais sans preuve à l'appui sinon que pour imaginer ce qui sera d'une littérature il faille séjourner au présent dans le réseau des rapports, des corps, des désirs et des idéologies qui circulent dans la société qu'on interroge.

Tout comme c'est le propre de l'individu que de vouloir s'arracher aux contraintes exigées par toute forme de vie collective, c'est le propre de toute société que d'opérer sur ses membres des conditionnements qui lui assurent la satisfaction de ses besoins, l'accomplissement de ses projets et le maintien de ses valeurs. Dans la mesure où ces derniers sont déterminés par une minorité d'individus, il y a nécessairement questionnement par *les autres* de la raison d'être de leur environnement sociopolitique. Et lorsque la remise en question est faite par un nombre croissant d'individus, il y a *tendance* à vouloir changer l'ordre des choses, du discours et des rapports de forces : c'est le versant politique et collectif du désir et de l'énergie que tout corps consomme et dispense entre la vie et la mort, entre le fictif et le réel, entre les mots.

Ainsi, au futur comme au présent, une littérature s'écrit au singulier comme au pluriel, faite par des individus et produite par ce que l'on nomme communément des courants littéraires. Des tendances, des versions qui soudain prennent une dimension collective parce que faisant surgir le non-dit d'une société, le « il faut se le dire » d'une oppression, d'une exploitation, d'une colonisation, d'une manipulation.

Il m'apparaît possible de parler d'une littérature au futur, qu'à travers les courants d'idées qui circulent présentement dans notre société et qui sont porteurs de projets pouvant modifier *la misère de vivre.* De poser par le fait même la question : quel est le projet « révolutionnaire » qui propose de changer la part fictive (au sens de mensongère) de la réalité et qui alimente chez ceux et/ou celles qui en participent, fantasmes, désirs, imaginaire. Quel est le groupe susceptible d'être le plus troublé, le plus vulnérable, dont la colère et dont le désir n'ont pas encore surgi ? À travers quelle solidarité verrons-nous s'ouvrir sur la conscience les immenses pans de silence et de terreur qui couvent dans l'inconscient collectif des hommes et des femmes d'ici, comme d'ailleurs.

* * *

S'il faut du ventre (l'auteur) pour faire de la littérature, il faut des idées (la tendance, le groupe) pour faire une littérature. Le contexte québécois nous indique qu'à tout le moins ce ne sont pas les idé(ologies) qui nous manquent aujourd'hui. C'est le propre des sociétés modernes (libérales) que de multiplier les idéologies. Et la nôtre l'est devenue, permettant l'éclosion du premier projet collectif qu'est l'indépendance du Québec, projet qui dans les années 60 englobait ceux de la laïcisation et du socialisme.

La laïcisation s'est faite. Comment et dans quelle mesure, elle a raturé les conditionnements religieux auxquels nous avons été soumis, cela, je ne peux l'évaluer [1]. Tout ce que je sais, c'est que la laïcisation a transformé nos comportements

1. Etonnant que, lors de la remise du Prix David 1976, le ministre O'Neill ait à la fois cité Mao Tsé Toung et l'Evangile dans son discours.

sexuels, fait surgir des interrogations sur ces rapports et surtout a permis aux femmes d'échapper au terrorisme de l'Église concernant la contraception. En ce sens, la laïcisation de la société québécoise est un facteur important dans l'apparition chez les femmes du Québec d'une prise de conscience de leur condition. De plus, lorsque la soumission à l'ordre divin s'effrite, se transforme parallèlement la soumission à ses représentants : le père, le mari, l'employeur, l'État. À ce sujet, dès le début du siècle, certains membres du clergé, tel Monseigneur Louis-Adolphe Paquet, n'ont pas été dupes : « Toutes les autorités sont solidaires. Et si la première, celle de Dieu, est méprisée ou mise en doute, les puissances secondaires et subordonnées qui s'y appuient, chancellent. Et lorsque dans la famille, il arrive que l'époux perde l'ascendant qui en faisait un chef obéi et vénéré, deux pouvoirs rivaux se dressent sous le même toit [2]. » La laïcisation va donc modifier tous les rapports à l'autorité et conséquemment transformer les *échanges* cela tant au niveau économique, que sexuel ou culturel.

Quant au projet d'un État socialiste. Il suscite présentement plus de fragmentations idéologiques qu'il ne peut s'en permettre s'il veut voir le jour. Il a cependant permis aux syndicats de jouer un rôle de plus en plus élaboré au niveau des priorités sociales et économiques. Il a fait naître une génération de marxistes et à certains égards un ascétisme idéologique qui, niant toute conscience individuelle, toute individualité, refuse par le fait même l'exploration écrite du désir, toute fiction.

À qui donc, saura se servir des mots, sans les figer, sans idée fixe, mettant à jour le réel imaginaire, dont parlait Gauvreau, bien avant que se mette à l'œuvre notre littérature, le futur de celle-ci.

* * *

2. Jean, Michèle, *Québécoises du 20e siècle*, Ed. du Jour, Montréal, 1974, p. 50.

Prise de conscience. Révolte. Exploration. Quête de l'identité. Affirmation. Il y a toujours *quelque chose* à dire quand il y a à redire, à maudire une condition. Que ce soit celle de colonisé, d'opprimée ou d'exploité. La ressemblance qu'il peut y avoir entre ces trois conditions cesse quand prend forme leur expression politique : nationalisme, féminisme et socialisme. Alors que l'objectif du nationaliste et du socialiste est la prise du pouvoir, quels que soient les obstacles et face à un ennemi bien identifié, les féministes entrevoient un partage du pouvoir et souvent même une rature du pouvoir. Alors que le nationaliste peut ou ne pas être privilégié, alors qu'une femme peut ou ne pas être privilégiée (comme fille de ou épouse de), le prolétaire ne bénéficie en aucune circonstance de privilèges. Parmi ces privilèges : l'accès à l'écriture et la reconnaissance de celle-ci, privilèges qui dans le cas des femmes sont exceptionnels.

La conscience individuelle ne peut présentement échapper à ces trois propositions idéologiques. Elle ne peut que les traverser, intellectuellement ou/et viscéralement.

À l'origine de toute écriture de fiction, il ne peut y avoir de certitude, sinon qu'intérieure et qui ne parvient jamais à une parfaite maîtrise d'énonciation. La fiction est toujours inachevée contrairement à l'idéologie. Elle explore *une autre réalité* que celle proposée par l'idéologie. L'utopie qu'un colonisé, qu'une femme ou qu'un prolétaire porte en lui génère son quotidien de possibles et d'impossibles, de tolérable et d'intolérable. Un espace où les mots tournent avides, inaptes et tout à la fois précis. Ailleurs et pourtant dedans du corps, son unique forme. Lorsque l'utopie devient projet et que celui-ci commande des réalisations, la fiction se transforme en lutte politique. En réalité.

À qui donc saura se servir des mots, en exhiber toutes les facettes sans en avoir peur que d'autrement la sienne. Trace radicale qui ne se fixe.

* * *

LE COLONISÉ, LE QUÉBÉCOIS

Pour penser le futur de la littérature québécoise en adéquation avec la prise de conscience faite par le colonisé de *son état lamentable,* il faut se rapporter au passé, aux années 60. Les écrivains de *Parti pris* ont été le futur à cette époque. Deux livres tout particulièrement : *l'Afficheur hurle* de Paul Chamberland et *Prochain Épisode* d'Hubert Aquin; deux hommes : Chamberland et Miron; un débat formel : le joual. Puis au fur et à mesure que le colonisé se trouva une identité, il se mit prosaïquement à la tâche : le romancier d'une autre génération, l'écrivain du Jour. L'urgence commença à faire sa dé-monstration.

Ce futur est passé. Aussi, pour moi, il en est que le projet nationaliste ne peut être compté parmi ceux qui susciteront des écritures nouvelles. Il a trouvé collectivement son expression par la prise du pouvoir par le Parti Québécois. Et il se maintiendra dans une permanence politique jusqu'à l'accès à l'indépendance. Advenant que celle-ci ne se réalise point, la plupart des écritures ayant pour thème le pays ou l'état lamentable du colonisé, ne pourront être que désuètes, folkloriques.

* * *

L'OPPRIMÉE, LES FEMMES, L'EXPLOITÉE

Autant le public a été incrédule et scandalisé devant *le Cassé* de Jacques Renaud (cela pouvait-il être un roman?), autant le public est indisposé quand une femme écrit sur *l'état de faits* de sa condition et plus, qu'elle y trouve sa forme. Qu'elle écrive mais ne laisse que sous-entendre les faits, cela en fait souvent un roman de deuxième ordre, comme on dit du deuxième sexe, ou une histoire de femme. Certes des livres écrits par des femmes ont été marquants dans notre littérature, tels *les Chambres de bois* d'Anne Hébert, *Bonheur d'occasion* de Gabrielle Roy, *le Survenant* de Germaine Guèvremont, *Une saison dans la vie d'Emmanuel* de Marie-Claire Blais. Mais il faut plus que des livres pour actualiser la pensée « intime » qui suscite ces mêmes livres. Il faut des solidarités et un débat formel, tout comme ce fut le cas avec le groupe de *Parti pris*. Et ceci est à venir chez les femmes.

Quels en sont les indices et quels en seraient les obstacles? Peut-être à commencer par les obstacles y verrons-nous un sujet de taille.

L'accès à l'écriture est un privilège de classe et pour une femme avoir de la classe, cela signifie au nom du père et du mari. D'où la double dépendance psychique et économique qui toujours fait des femmes, l'objet trop subjectif. Or qui ayant accès à l'écrit comme fiction laisse sous-entendre qu'il qu'elle sait son sujet, sait observer. En d'autres termes, sachant la synthèse du sujet et de l'objet, sachant son corps réel et fictif (les rôles) et lui donnant un sens dans l'histoire collective où se côtoient et se mutilent le corps de travail et le corps de jouissance, le même corps en somme, travesti dans la double perspective du privé et du politique.

Pour le moment, les femmes n'ont qu'une vie privée. Et ce dont on les prive, c'est de pouvoir COMPARER, DE QUESTIONNER, D'ÉTABLIR DES ANALOGIES, D'INVERSER. De se figurer dans le langage, de s'imaginer dans un rapport autre que celui de l'amour-fiction, respectant, tout comme dans les belles calligraphies de femme, l'un à la suite de l'autre sujet, verbe, complément; le masculin comme un mariage de raison. La censure. Respecter la vie comme on respecte la censure ne rend pas la vie facile : fantasme. Mais sans les mots pour s'éviter la catastrophe, pour que s'étalent les effets de la censure. Les mots dont elles savent le poids quand ils sont écrits. Le risque est grand pour elles que d'écrire, alors que la loi du père assigne le fils à l'écriture. Il est illégitime pour une femme que de passer par l'écrit pour sauver sa santé mentale, pour ouvrir l'œil.

Chaque femme qui écrit *prend de la place,* une place en trop dans une société patriarcale. En cela, l'écriture est pour toute femme un lieu de transgression dont on n'a pas IDÉE. Je vois des femmes qui ont littéralement PEUR d'écrire, quand ce ne serait qu'un banal message : « Je dois m'absenter. Je serai de retour à cinq heures. » De préférence, elles confieront oralement le message à une voisine qui, si elle-même doit s'absenter, le transmettra elle aussi de la même manière. Formant pour ainsi dire une chaîne. Des voisines *en ligne.*

Au privilège de l'individu s'oppose la solidarité *des autres,* toute(s) et chacun(e) en voie de reconnaître leur individualité. « Celui qui n'a jamais eu l'idée d'une pluralité possible n'a aucunement conscience de son individualité » (Piaget) [3]. *Les autres* s'ils si elles restent isolé(e)s demeurent anonymes, si elles s'ils se regroupent s'acquièrent par la force des choses *une reconnaissance.* Lorsque les voisines se regroupent entre elles, c'est alors qu'il commence à y avoir du rapport, du projet, du désir, de l'écrit. Avec des mots écrits : une nouvelle dimension de la réalité. Des prospectives, une autre version.

Qui justifiera cette version sinon celles qui s'organiseront autour d'elle et l'exploreront. Des femmes, pour moi, pour nous, viendra le morceau qui à chaque naissance reste coïncé dans la gorge de l'enfant. Car *la* femme « fictive » a plus à traverser (si elle parvient à l'écrire) que toute fiction entreprise jusqu'à maintenant; son envers, son enfer, son en droit.

Lorsque Chamberland, dans *l'Afficheur hurle,* dit que c'est « pour elle et pour elle seule à présent dans le silence qu'elle fait aux marges du délire », lorsque Miron écrit : « femme ô femme petite âme petites vagues / petites suites de petit fracassements dans mes bras », il y a du futur pour le colonisé à devenir homme.

Lorsqu'elles écriront, personne ne pourra plus (se) reposer sur elles : ni femmes, ni hommes. Leurs délires sont pleins de ventres, de bras, de sexes inconnus. De formes inédites.

Cette fiction est à venir avec celles qui surmonteront la peur, l'exposeront et s'exposeront pour en finir avec le terrorisme, la grande noirceur du dedans des ventres de femmes.

3. Morin, Edgar, *l'Homme et la mort,* Paris, Seuil, coll. « Points », nº 77, 1976, p. 112.

L'EXPLOITÉ, LE PROLÉTAIRE, TOUT MARXISTE
EN SAIT QUELQUE CHOSE, À PROPOS

Le colonisé, dans la mesure où il *peut* être privilégié, a la possibilité de tenir un discours « révolutionnaire » qui n'entre pas immédiatement en conflit avec ses intérêts de classe. Formulant des désirs pour lui-même, il peut les faire coïncider avec ceux de la collectivité parce qu'en tant que représentant d'une classe privilégié, il PEUT AGIR sur les valeurs de la société à laquelle il appartient. D'ailleurs il ne remet en question que ce qui lui est spécifiquement intolérable en tant que colonisé. Il respecte souvent les armes idéologiques de la société qui le reproduit de génération en génération comme mâle et citoyen privilégié : mariage, famille, hétérosexualité, hiérarchie, propriété privée.

Lorsqu'un colonisé parle du peuple québécois, il en fait partie. Lorsqu'une femme parle des femmes, elle en est une. Du particulier au général, il y a coïncidence. Un lien entre la vie privée et la vie politique. Un filon ouvert sur la fiction. Le colonisé et la femme (mais ce seulement quand ils sont privilégiés) peuvent donc tenir un discours sur eux-elles-mêmes. Le prolétaire, parce qu'il est toujours sans privilège ne peut pas tenir son propre discours. Quand il le parle, il n'est déjà plus prolétaire.

* * *

« Le sens de la justice et de l'égalité en particulier, ne peut être que douloureusement atteint par la conscience du privilège [4].»

« La mauvaise conscience des élites occidentales est un phénomène unique en son genre. Elle résulte d'une contradiction permanente entre les valeurs admises par les élites et leur pratique sociale [5].»

4. Baechler, Jean, *Qu'est-ce que l'idéologie?*, Paris, Gallimard, coll. « Idées », nº 345, 1976, p. 193.
5. *Ibid.*, p. 135.

Si la conscience malheureuse suscite des écritures de fiction, la mauvaise conscience, elle, donne souvent lieu à une paranoïa morbide, à une négation de la fiction, de son plaisir (« Le plaisir du texte, c'est ce moment où mon corps va suivre ses propres idées — car mon corps n'a pas les mêmes idées que moi[6] »), à la rigidité ascétique de ceux qui font LA PREUVE par la vie des autres.

« Au total, les cohortes d'intellectuels se sont prodigieusement multipliées. Or, fait étrange, le nombre des créateurs n'a même pas augmenté en proportion[7].»

Pour le moment, il serait à tout le moins étrange de dire que c'est parmi les individus engagés dans l'analyse marxiste et dans le combat socialiste que l'on retrouvera le futur d'une écriture de fiction. Cependant, ils sont de ceux dont les interventions par l'analyse ou par le slogan, peuvent modifier les pratiques d'écriture. Car la mauvaise conscience est un trait de civilisation auquel n'échappent surtout pas les écrivains, trait qui depuis les vingt-cinq dernières années a déplacé le propos des genres en propos du texte; partant de là, c'est-à-dire du texte, la fiction fait textuellement nouvelle *figure.* Comme une théorie de la réalité.

* * *

Le futur a son présent et l'on peut songer que le présent des œuvres de Jacques Brault, d'Hubert Aquin, de Louis-Philippe Hébert, de Réjean Ducharme, de Paul Chamberland; celui des livres de Geneviève Amyot, de Louky Bersianik; celui des textes de Roger DesRoches, de Jean-Yves Collette, d'André Roy, de Normand de Bellefeuille, de Yolande Villemaire, de Madeleine Gagnon, de Michèle Lalonde, de Claude Beausoleil et de Philippe Haeck, est à se poursuivre comme aussi une littérature au futur.

L'on peut présumer tout autant que les sources de lecture qui influenceront les textes québécois, tout en continuant

6. Barthes, Roland, *le Plaisir du texte,* Paris, Seuil, 1973, p. 30.
7. Baechler, Jean, *Qu'est-ce que l'idéologie?*, p. 194.

d'être françaises et américaines, seront de plus en plus internationales.

AUX PRISES AVEC L'ÉCRITURE
SA FICTION D'OÙ ELLE S'EXTRAIT

placée devant le texte se regardant le faire, car *ça va de soi* qu'il ne saurait dire le contraire. Une écriture symptômatique des pratiques sous-jacentes à la réalité qui légitime l'envers de celle-ci, à tout le moins ce qui la produit dans son in-cohérence, influencée comme une chevelure

mais la fiction, la forme qu'elle saurait prendre parmi les échanges, comme l'on dit *faire une avance* en écrivant *n'importe quoi* dont le sens pourtant ferait allusion à un penchant ou frôler un interdit spécifique qui d'un seul coup remettrait en question *la* structure énigmatique qui toujours laisse sous-entendre qu'à la fois ceci que par le fait même cela du corps qui tend terriblement se tend visiblement

le tour de dire, le détour, s'évitant à soi la preuve, croyant tenir une preuve intime qui n'existerait pas dans les limites d'un texte quelles qu'en seraient les versions.

l'amour et pour cela que d'avoir à l'écrire le rend insensé, impossible, le soustrayant ainsi à la réalité comme pour une économie dans la lutte à mort de sa propre mise à mort, dans le verglas, le bri, l'éclat de verre, vu comme un luxe de forme, pris dans un autre sens

le sexe, traduit en son réel, sa matérialité, les faits tels quels, s'exerçant, ruse fictive, comme une détresse incompatible, une argumentation sans preuve autre que son exercice, la preuve qu'*il peut s'agir de soi*

le corps, sa fiction comme sa forme, de n'y rien comprendre quand elle est souple et rare, le délaissant pour qu'à d'autres moments s'y laisser surprendre, le corps avant tout y laissera sa marque quand d'une fiction prendra la forme

les images tardives sachant qu'en vivre en rêve les multiplie dans la gorge alors que cessent les mots pour emprunter d'autres formes digitales, fluviales, obscures c'est exprès qu'avec séduction les images s'attardent pour que s'arrête l'urgence de les voir produire d'autres effets que le leur, les récupère comme on coupe l'herbe sous les pieds

l'œil, par conviction, mise dans un tel état, qu'à dessein l'imaginaire dedans s'y confond, qu'on ne sait y lire, qu'on ne fait que ça, plus complexe la fille que je suis quand je l'ouvre cet œil, traduite devant lui en une autre dimension, par analogie tout m'y renvoie ou, de là j'y aboie avec un comportement de maître. La pupille ne supporte aucune rature

le désir de l'évoquer comme une circonstance, un acte de représentation qui *en soi* se ferait redondant, les eaux les larmes, le délire s'il s'y maintenait, le besoin se fait sentir des actes plus tôt qu'on ne les imagine, en réalité il y a des pauses qui dans l'ordre des mots le font surgir

l'écriture à travers elle, sous son passage, on n'envisage à la fois qu'un mot, père, tes prétextes à la souffrance me font vomir, mon impression c'est un aspect qui se ramifiant, on l'appelle événement ou acte d'écrire, mémoire, car bien avant sa propre histoire, elle, il faut le mentionner quelque part l'effet radical qu'une angoisse, ou l'envisager

la mort telle fiction qui ne prend forme que localisée dans le cerveau, sous toutes ses formes dans le dense et le vague, qui dans les membres comme une membrane dissidente, trace sa propre histoire en vue, quotidienne, qui, peut-être un ventre de mère, à peine, le moment venu

l'histoire, aux prises avec la réalité

ÉTUDES FRANÇAISES

Revue thématique qui reflète de façon prioritaire, sinon exclusive, les travaux et recherches de la communauté intellectuelle québécoise.

Revue semestrielle (avril et octobre)

Issued twice a year (April and October)

Abonnement annuel / *Annual Subscription* $10.00

Le numéro / *Single Issue* $6.00

Distribuée en Europe par le : Centre de diffusion des livres universitaires de langue française — C.L.U.F., 11, rue de Sèvres, 75007 Paris, France.

DÉJÀ PARUS

Écrire c'est parler, vol. 10, nº 1, février 1974 ☐

L'année littéraire québécoise 1973, vol. 10, nº 2, mai 1974 ☐

Le bestiaire perdu, vol. 10, nº 3, août 1974 ☐

L'éveil des nationalités, vol. 10, nº 4, novembre 1974 ☐

Le fragment / La somme, vol. 11, nº 1, février 1975 ☐

L'année littéraire québécoise, vol. 11, nº 2, mai 1975 ☐

Avez-vous relu Ducharme ?, vol. 11, nº 3-4, octobre 1975 ☐

Conte parlé, conte écrit, vol. 12, nº 1-2, avril 1976 ☐

Jacques Ferron, vol. 12, nº 3-4, octobre 1976 ☐

Le lieu commun, vol. 13, nº 1-2, avril 1977 ☐

BON DE COMMANDE ET BULLETIN D'ABONNEMENT

Ci-joint un chèque ou mandat (établi à l'ordre des Presses de l'Université de Montréal) de $ .... Veuillez m'expédier le(s) volume(s) coché(s) ☐ Je désire souscrire un abonnement à « Etudes françaises », pour l'année .... ☐

Nom ....

Adresse ....

....

....

LES PRESSES DE L'UNIVERSITÉ DE MONTRÉAL
Case postale 6128, Succursale « A »
Montréal, Qué. H3C 3J7
Tél.: 343-6929

Achevé d'imprimer à Montmagny le 10 août 1979
par les travailleurs des Éditions Marquis Ltée.